JN094231

日常を拓く知
古典を読む 5

うつくしさ

神戸女学院大学文学部総合文化学科 監修
奥野佐矢子 編

神戸女学院大学総文教育叢書

世界思想社

日常を拓く知　古典を読む

シリーズ〈日常を拓く知〉は、「学ぶこと」と「生きること」が分離しかねない今日の状況に対して、その二つを結びあわせる手引きでありたいという思いから創刊されました。これまで、「知る・学ぶ」「恋する」「伝える」「食べる」「旅する」「支える」といった日常的な営みを取り上げ、その役割や意味、歴史を考えてきました。第二弾となる本シリーズは、〈古典〉を手がかりに「生きること」を考えます。それは、「大学の人文・社会系の学問が何の役に立つの？」と問う姿勢を、再考するきっかけとなることでしょう。

〈古典〉と聞くと、それだけで、高校の古典の授業を思い出してしまう人も多いかもしれませんが、ここでいう〈古典〉とは、単に『源氏物語』や『平家物語』のような、古い文学を指すものではありませんし、「古典芸能」や「古典落語」のような古い文化を意味しているわけでもありません。本シリーズでは〈古典〉を、次のような二つの視座からとらえています。

ひとつは、「時間」という重みに耐え、また国や地域などの「場所」の制約を乗り越えてきた作品という意味です。ベストセラーといわれても、数年も待たず忘れ去られていく作品は多くあります。ある社会では理解されても、ちがう社会ではまったく理解も共感も得られない作品もあります。〈古典〉と呼ばれる作品、あるいは〈古典〉になる作品とは、こうした「時間」や「場所」を超えて多くの読者の心をとらえ、その価値が見いだされ、〈知〉を与えつづけていくものです。

もうひとつは、私たちの思考枠組みを変え、「常識」への問いなおしを促してきた「知の源泉」ともいうべき側面です。こうした〈古典〉は、隠されていた社会の問題を浮かび上がらせ、時代の精神性をつかみ取り、これまでの物事の見方を大きく変えるターニングポイントを築いてきました。

現代の私たちはすぐに「役に立つ」ことを求め、わかりやすい「成果」を得るためだけに学んではいないでしょうか。でもそのような学びが通用する範囲は思った以上に狭いものです。悠久の時間や、思考の転換点を感じさせる〈古典〉を前にするとき、目の前にある状況に対してすぐに「役に立つ」ものが、いかにはかないものであったかを感じざるをえません。

資格や技能という、すでにあるものさしや指標のみを重要視する社会は、はたしてあなたの個別性を認めてくれる「やさしさ」を備えているでしょうか。さらに規格化された学びは、変容していく社会を生きていくうえでの「つよさ」を養い、あなたが感じている「さびしさ」に応えるものになるでしょうか。そして、目に見える成果ばかりを求める社会は、はたして「ゆたか」で、「うつくしい」ものなのでしょうか。

本シリーズは、大学で学ぼうとしている人、知的に学びつづける社会人にも読んでもらいたいと思っています。みなさんがあふれ出す知の泉を掘り当てて、深い学びへ誘われることを願っています。

「日常を拓く知　古典を読む」編集委員

奥野佐矢子　景山佳代子　北川将之
栗山圭子　笹尾佳代

はじめに

「これまで出会ったもののうち「もっともうつくしいもの」は、何?」と問われたら、あなたはどう答えますか。ある人にとってそれは、すれ違いざま思わず振り返ってしまうような麗人かもしれませんし、風に吹かれた桜の舞い散る情景かもしれません。苦労して子どもを守り育ててきた親の節くれだった手かもしれないし、今は誰もいない、朽ち果てた廃墟にこそ美を感じる――そういう人もいるかもしれません。

美は多様だといわれます。ですが、美がもたらす効果には共通点もあります。美を感じた瞬間、私たちは言葉なくそれに心奪われます。そして同時に、そこに美を認めた誰かと私たちが、共感とともに瞬時に結びつくのです。美の経験とは、きわめて個人的なものでありながら、共通感覚を通じて立ち上がる社会性をともなうものでもあるのです。

他方で、そうした経験をもたらす美の観念それ自体は、歴史や文化的背景とともに移り変わってきました。かつてギリシャ時代では真・善・美が一体化した完全性の現れが美でしたし、宮廷文化では社交も含めた生き方としての美が追求されました。自然の発露としての美が、知や合理性と対立関係に置かれる場合もあります。もって生まれた自然美にとどまることなく、さらなる「うつくしさ」に磨きをかけたいと私たちが願うからこそ、各々の時代において化粧や衣装や宝飾品、刺青といった文化遺産の蓄積があるわけですし、ファッション業界における毎シーズンのコレクションを通じて、新たな美のモードが生み出され続けます。

こんにち私たちは、こうした美を、主に感性を働かせて感じ取るものだとみなしています。「キレイ！」「キモい！」「カワイイ！」「いいね！」「イケメン！」「萌え！」「尊い！」など、感情が動くときに発せられるフレーズに数々のバリエーションがあることも、私たちが感性の時代を生きている証左だといえるでしょう。でも、少し立ち止まってみてください。もし私たちが心動かされるものすべてをこれらの短いフレーズで片づけてしまい、なぜそう感じるのかを掘り下げて思考することをやめてしまったら……。たとえば、あいちトリエンナーレ２０１９の展示中止騒動や美魔女ブーム、あるいは行き過ぎたダイエットや美容整形手術などがもてはやされる傾向に対して、私たちは、向き合う術をもたないまま翻弄されてしまうでしょう。今こそ私たちは、感性の時代を生き抜いていくための知恵、すなわち「うつくしさ」の感覚それ自体を言葉を通じて相対化する試みや、感じるだけにとどまらない知的な取り組みなどを、必要としているのではないでしょうか。

〈古典〉を手がかりに日常を再考するシリーズ第5巻では、このような問題意識のもと、「うつくしさ」について多角的に考えることを目指しています。全体は二部で構成されています。

第Ⅰ部では、「うつくしさ」のもつ魅力と、その底知れない深淵について、文学作品とその映画化作品をめぐる対話を通じて考えていきます。気まぐれに訪れた異郷の地で偶然に出会った美少年に魅了され、それまで順調だった人生から次第に転落していく中年男の末路を描いた作品を手がかりに、私たちが「うつくしさ」と付き合うとしたらどのようなカタチが可能なのか、付き合い方の作法について、思索を深めていきます。

第Ⅱ部は、各章異なる視点から「うつくしさ」について考えたエッセイです。

日本古代中世史は、古典である貴族日記を読み解くことで、宴会や色恋沙汰にふける平安貴族という一般的イメージを覆してみせます。むしろ平安貴族にとって「うつくしさ」とは、能力、秩序、政治であり、貴族社会を渡り歩いていく力量をはかる厳しい評価基準でした。「うつくしさ」が、主観的なものでなく社会的背景と無関係でないことに気づかされます。

公衆衛生の社会学は、医学図版や公衆衛生ポスターの表現の変遷をたどりながら、「見た目のうつくしさ」が、ごく自然に健康と結びつく今日的な傾向について解き明かします。健康で「うつくしい」人のイメージの氾濫や、こうした健康美を維持するために必要な主体的努力の強調など、健康社会を生きる私たちが知らず知らず刷り込まれている美と健康の固定的なイメージについて考えさせられます。

英文学は、うつくしい外見と内面の乖離というテーマを扱います。ひとりの美青年が、天賦の美と若さを謳歌するいっぽう、彼をモデルに描かれた肖像画のほうは、醜く朽ち果てていきます。青年は次第に外見的な美と自らの内面との乖離に耐えられなくなり、破滅の道をたどります。外見的な美に囚われがちな現代社会を生きる私たちへのヒントとして、「うつくしい」対象としてではなく「うつくしく」ある行為がもつ可能性について示唆されます。

宗教学は、一九歳のアイヌ少女が生み出した、一冊のアイヌ神謡の詩集を取り上げます。北海道の広大な天地を舞台に繰り広げられる守護神カムイと人間との「うつくしい関係」の核心にあるものは、敵と味方、富と貧乏、差別するものとされるもの、因果応報といった、こんにち私たちが生きる世界にあたりまえに存在する瑕疵《かし》を超越した、「隣人」との共生への願いと祈りでした。一見、異なる世界観にみえるアイヌ文学とキリスト教とを、深いところで結びつける「うつくしい共鳴」の世界へ、私たちは誘われてゆきます。

各エッセイの末尾には、関連する古典のブックガイドを付しました。多様な「うつくしさ」の世界をより知りたくなった読者のために、神戸女学院大学文学部総合文化学科の教員たちがおすすめする本です。ぜひ手に取ってみてください。

古典の多様な語りは、美の魅惑と深淵を余すところなく私たちにひらいてみせます。少しだけ勇気を出して、触れてみてください。「うつくしさ」とは何かについて思考してきた先人たちの知恵の泉が、そこにゆたかに湧き出ていることを知るでしょう。心揺り動かされる美にあふれた感性の時代を、よりしなやかに生き抜いていくために——本書との出会いが、あなたのゆたかな思考をひらく一助となることを願ってやみません。

編者　奥野佐矢子

目次

はじめに　奥野佐矢子　vi

Ⅰ 〈うつくしさ〉を問いなおす

美への憧れ、美の誘惑――「ヴェニスに死す」を読みなおす　孟真理×めぐみさん　2

Ⅱ 〈うつくしさ〉を読む

1 日本古代中世史から――うつくしさをめぐる権力
土田直鎮『王朝の貴族』　栗山圭子　34

2 公衆衛生の社会学から――「見た目判断」と健康美の話
バーバラ・スタフォード『ボディ・クリティシズム』他　横田恵子　53

3 英文学から――美と若さの呪縛から自由になりたい、でもなれない？
オスカー・ワイルド『ドリアン・グレイの肖像』他　渡部　充　72

4 宗教学から――他者とともに生きる世界を目指して
知里幸恵編訳『アイヌ神謡集』　大澤　香　91

I

〈うつくしさ〉を問いなおす

卒業論文の執筆が視野に入ってきためぐみさんは，孟先生の「ドイツの文化・文学」の授業で紹介された映画『ベニスに死す』を観て感銘をうけ，孟研究室を訪れました

孟真理先生
文学部教授
専門はドイツ文化・ドイツ文学

めぐみさん
文学部の学生
孟先生の授業を履修

美への憧れ、美の誘惑
——「ヴェニスに死す」を読みなおす

映画『ベニスに死す』
——タドゥツィオのうつくしさをめぐって

めぐみ　孟先生、こんにちは。お忙しいところ、お時間をいただきありがとうございます。先日、先生が授業で紹介された映画『ベニスに死す』を観ました。とても印象深かったです。

孟　めぐみさん、こんにちは。映画を観てくださったのですね。感想はいかがでしたか？

めぐみ　第一印象は、タドゥツィオという少年が、ひたすら、うつくしい!!でした。

孟　最初に登場する場面の彫像のように整った顔立ちが、生身の人間とは思えないほどですよね。舞台になっている豪華ホテルの貴族的な雰囲気といい、うつくしさを堪能できる映

タドゥツィオ（映画『ベニスに死す』）
World History Archive / Alamy Stock Foto

画だったでしょう？

めぐみ 本当に、ため息が出るようなうつくしい映画でした!! ただ……観おわってから、うまく言葉にできないような感触が残っていて、今ももやもやしています。この映画は、「うつくしい！」と感動して終わるだけの映画じゃない気がします。でも、それが何なのか、よくわからないのです。

孟 そうなのですね。では一緒に考えてみましょう。

めぐみ ありがとうございます！

孟 物語の舞台は、イタリア・ヴェネツィアの海岸にあるリゾートホテルですね。

めぐみ はい、そこに主人公の作曲家アシェンバハが休暇で滞在していて、少年タドゥツィオを見かけて……。

孟　その完璧なうつくしさに衝撃を受ける。
めぐみ　そうなんです。出会いのシーンも印象的でした。
孟　アシェンバハは、はじめは芸術作品をじっくり鑑賞しているようなつもりでしたが、しだいに少年の虜になって、ひたすらその姿を追い回すようになるほどでしたね。
めぐみ　はい、ヴェネツィアで疫病がはやっていることを知っても、旅立つ決心ができないくらいに……！　最後には、観光客もまばらになった夏の終わりに、海辺で戯れる少年を見つめながら、疫病に冒された彼は静かに息絶えてしまいます……。
孟　先ほど、タドゥツィオ少年の印象を話していただきましたが、主人公のアシェンバハについては、どう思いましたか？
めぐみ　アシェンバハは、社会的に地位も名誉もある知識人なのに、映画が進んでいくにしたがって「老い」の「醜さ」を象徴するような存在として描かれるのがちょっと哀れに思えました。理髪店で「若く見えますよ」とお世辞を言われながら黒々と染めた髪の墨汁が、ラストでアシェンバハの白塗りした顔にだらだらと流れおちていくシーンは、正直、見ていられませんでした。
孟　少年のうつくしさと対照的な描き方ですよね。中年を過ぎたアシェンバハの容貌にはむろん年齢にふさわしい「老い」が刻まれているけれど、それなりに風格もあります。それなのに不自然に若づくりの化粧をほどこしたため、かえってぞっとするような「醜さ」を示してしまいます。誰でも若々しくうつくしくありたいと願うのはあたりまえのことなのに、この無残な描き方はすごく意地悪ですよね。

めぐみ　本当に、アシェンバハとタドゥツィオの描き方が、対照的すぎます……。

孟　今話してくださった理髪店のシーンには、美に憧れて自然な時間の作用に逆らおうとする人間のかなしさがあらわれています。いっぽう少年のうつくしさは、海岸で砂まみれになったりしてもみじんも揺るぎません。この作品では、若さへの憧れは、時間をこえた「不滅の美」へのかなわぬ憧れでもあるのでしょう。

美に魅入られる怖さ

めぐみ　アシェンバハの最期も、心に刺さりました。アシェンバハは、彼に憧れて憧れて、でも最後まで彼を手に入れることができません。映画のラストでは、光に包まれたタドゥツィオが「ここではないどこか」を指し示し、アシェンバハがそこへ向かおうとして息絶えていくシーンが、とても印象的でした。

孟　この結末のシーンには、手の届かないものに憧れてやまない人間の滑稽さと、それにもかかわらず尊い何かが、凝縮されているように思います。彼は憧れの存在に導かれていくのですよね。しかもアシェンバハの魂が向かおうとしているのは、タドゥツィオの後ろ姿そのものではなくて、少年が指さす水平線のかなたです。この最期は究極の美を追い求めた芸術家の終焉にふさわしいのかもしれません。

めぐみ　なるほど、そう考えると、こうした最期を遂げるアシェンバハは幸せだったのでしょうか……？　傍から見ると、地位も名誉もある人間の末路としては、ちょっと破滅的にも思えてしまいます。

孟　たしかに、美少年の虜になったあげく、命をおとす主人公の末路は、冷静な目で見れば、愚かしくてみっともない転落ですし、彼自身もそれは自覚しています。でも、地位や名誉を得てもなお満たされない何かが、彼を駆り立てたのでしょう。だからこそ、映画監督ヴィスコンティは、アシェンバハに、少しゆがんではいるけれど、穏やかなほほえみを浮かべさせました。その「幸せ」は錯覚だったかもしれないけれど、常識をかなぐり捨てられるほどに何かに魅入られることは、もしかすると最高の幸福なのかもしれませんよ。

めぐみ 美に魅入られることが、最高の幸福……。うーん……。

孟 映画のラストは、いろいろな受け止め方ができる描き方になっていますね。引っかかるのは、どういったところなのでしょうか？

めぐみ 社会的な立場も名声もあるアシェンバハが、映画のなかでは、タドゥツィオのうつくしさに魅入られてフラフラとあとを追って行ったり、普段なら考えられないような愚かな行動に走ったりしています。まるで盲目の恋のような、それか熱狂的なファンが憧れの対象に対してとるような、自分がなくなってしまっているような……。そんな振る舞いに、いい大人が嵌まり込んでいってしまっているところが、見ていて痛々しいです。

孟 なるほど。

めぐみ たとえば、大事な資格試験や就職活動の面接を控えているのに、恋や追っかけにうつつを抜かすのは、どれほどバカらしいとわかっていても、やめられない。自分がそんな状態に囚われてしまうこと、それがいつ来るかわからないなんて……美に魅入られるって怖いな、と感じてしまいます。

孟 感情や行動を、理性でコントロールできなくなるところが「怖い」、ということですね。たしかに「うつくしい」という感覚は、そもそも理性の判断とは別のものです。何かを「うつくしい」と感じる瞬間、つまり何かに心を奪われたその瞬間には、「どこがどううつくしいか」とか、「この感覚は正しいのか」なんて問う必要もないし、説明もできません。言葉を失って、まずその感覚に身をゆだねるしかありません。美の直接体験は、理性や言語の介入を拒みます。だからこそ、そこには無上の幸福感があるのでしょう。けれども、もしその状態から抜けられなくなっちゃったら、やっぱり怖いですよね。

めぐみ　映画の描き方はとても直接的で感覚的でした。中盤から、タドゥツィオを付け回すアシェンバハの振る舞いや目つきは、ちょっと狂気の匂いもして……。なぜアシェンバハが突然、あのように魅入られてしまうのか、説明もなかったように思います。

孟　アシェンバハは、少年の美に溺れた状態から脱するのを、あえて拒んでいるようにも見えます。そこが「狂気」としか言いようのないところなのでしょうね。

めぐみ　美に溺れた状態から脱するのを拒む……ことが「狂気」であるというのは、なんとなくわかる気がします。では、美との付き合い方として、「溺れる」以外にどんな作法があるのでしょうか？

孟　ふつう、私たちは、感動したそのあとであらためて、それが「なぜうつくしいのか、どううつくしいのか」を説明しようとしますよね。つまり美を理解し、美の体験を消化して定着させ、それによって日常性に復帰していきます。大好きなアイドルに夢中になることも、美術館でお気に入りの作品に出会うことも、こうして私たちの日々をゆたかなものにしてくれます。その一連のプロセスを達成するためには、その美をあらためて見つめなおすことが、大事なのでしょう。

映画によってよみがえる古典の魅力

孟　授業でもお話ししたように、映画『ベニスに死す』は、作家トーマス・マンの一九一二年の小説「ヴェニスに死す」（『トニオ・クレーゲル　ヴェニスに死す』所収、高橋義孝訳、新潮文庫、二〇一二年改版。以下、引用後の数字は、ページ数を示す）が原作です。映画は一九七一年制作ですね。私がこの映画を観たのは、たしか、ちょうどめぐみさんと同じぐらいの大学四年生か大学院に進学したころでした。マンの小説のほうはすでに読んでいたので、映画から入った場合とは受け止め方がだいぶ違ったかもしれません。

めぐみ　先生が、この映画を初見でごらんになったときの感想はどのようなものだったのでしょうか？

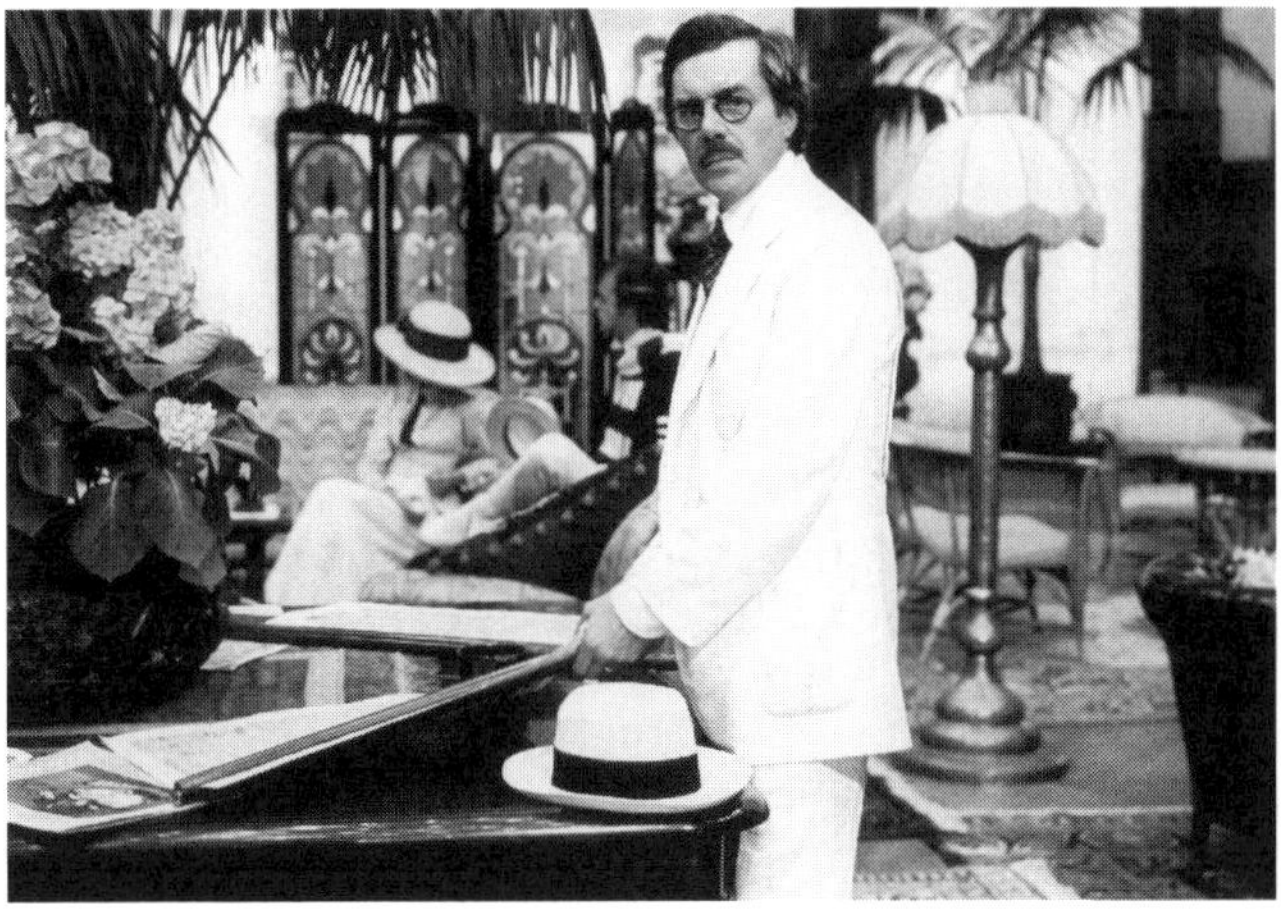

アシェンバハ（映画「ベニスに死す」）
Pictorial Press Ltd. / Alamy Stock Foto

孟　名画座のヴィスコンティ監督作品二本立てでどっぷり浸かるように観て、映像の圧倒的なうつくしさに息をのみました。もちろん少年にも。それまで、マンの諸作品のうちでは「ヴェニスに死す」にはやや苦手意識があったのですが、映画が手引きとなって、再読へと導かれたような覚えがあります。

めぐみ　文学研究者の先生が小説に「苦手意識がある」とおっしゃるなんて、意外な気がします。

孟　マンの小説には、読者を感情移入させない仕掛けがあちこちに盛り込まれていて、すんなりとは読めません。それに対して耽美派の巨匠ヴィスコンティは、情念に直接訴えかける映像によって、観る人を引きずり込むようなところがあります。

めぐみ　たしかに。映画を実際に観てみて、その点は思い当たります。

孟　小説との違いはほかにもいろいろありますが、その後ビデオなどでも観て、ヴィスコンティが映画に潜ませた仕掛けや、マンが小説に仕掛けたことを徐々に発見していきました。映画に触発されて原作を読みなおし、原作の魅力にあらたに気づきましたし、また原作と比較することで映画の理解も深まりました。

めぐみ　なるほど、原作と映画とを行き来する感じですね。

孟　原作を別のメディアで改作することを、「アダプテーション」と呼びます。これは解釈と再読のつみかさねの歴史、とも言えるでしょう。映画監督による原作の解釈を通じて、さらにまた読者や観客の解釈を通じて、作品は何度もあらたに発見しなおされます。こんなふうに古典は、くりかえし読みなおされ、読み継がれるなかで、意味のゆたかさを増していくのです。

めぐみ　映画が原作の「アダプテーション」であるというお話をうかがって、原作であるマンの小説にも興味が出てきました。時間を見つけて読んでみようと思います。読みおわったら、また先生のところにうかがってもよろしいですか？

孟　もちろんですよ。

美と理性の不可分さ

めぐみ　先生、こんにちは。小説「ヴェニスに死す」を読んでみました。

孟　めぐみさん、こんにちは。小説を読まれたのですね。どんな発見がありましたか？

めぐみ　映画ではアシェンバハは作曲家という設定になっていたのに、原作では小説家という設定になっているところが気になりました。

タドゥツィオは美の側で、理性の側に置かれているアシェンバハは原作では小説家になっていますね。理性をつかさどる小説家という職業にとって、美との関係はどのように捉えられるのでしょうか？

孟　とても鋭い指摘だと思います。言い換えると、文学において感性的な「美」と理性的な「認識」の関係はどう位置づけられるのか、という問いですね。おそらくきわめて西洋的な発想かもしれませんが、感性と理性を区分して、その関係を考えるという命題がここにはあります。この小説のなかにも、「作家の幸福とは、全く感情になりきってしまえる思想を持つことである。全く思想になりきってしまえる感情を持つことである」（一九八〇）という一文が出てきますよね。作家のアシェンバハは、思想をうつくしい言葉やうつくしいイメージへと磨き上げることに身を捧げてきました。両者の幸福な一致が、作品を完成させるわけです。

めぐみ　私もその箇所は印象に残りました。

孟　芸術はどちらか一方ではなく、両方の側面を、それぞれのジャンルごと、また作品ごとのバランスで、もち合わせているといえるでしょう。ドイツに限らず、西洋美学の伝統において、文学は言語をもちいた芸術として、ほかの芸術ジャンルにくらべて、より理知的なものと捉えられてきました。むろん、音楽や美術の場合でも、感性だけでなく理性の働きによってはじめて作品世界は構築されています。鑑賞者がそれを読み解くのにも理性の力は不可欠です。美と理性は不可分といっていいでしょう。

めぐみ　なるほど。たしかに「芸術は爆発だ！」という語り方もある一方で、芸術は自然を写すものである、という言い方もあるし、「黄金比」のように、うつくしさを説明する枠組みがあるはずだ、という考え方もあります。古典を読むと、昔の人々は、ただ「うつくしい」で終わらせるのでなく、なぜそれがうつくしいのか、一生懸命、理性を働かせて言葉にしようとしてくれているのですね。

孟　文学のなかでも小説は、詩などにくらべて、直接感覚に訴えかけるよりも、より多く知性に働きかけることができます。小説について話すとき、私たちは、あらすじとかテーマを先に話しがちで、いきなりスタイルの話だけをしたりしませんよね。むろん好きな作家についてなら、空気感とか文体など、感覚的にぴったりくる点をあげたりもしますが、それだけでは説明した気になれなかったりします。

めぐみ　たしかに。「なぜ好きなのか？」を誰かに言葉で語ろうとするとき、私たちは「好きな対象」から少し距離をとって、反省的に見ている気がします。

孟　とくにドイツの小説の場合、イギリスやフランスの小説が、社会のなかでの人間の活動を生き生きと描くのにくらべると、個人の内面や思考に深く分け入っていく傾向があります。そのため、しばしば小説の言葉が哲学や思想とも一体となって、読者にも思考への強い促しを与えます。小説「ヴェニスに死す」にも、アシェンバハが美や芸術について考えたり、書いたりする場面が多く出てきますよね。

めぐみ　たしかに！　小説は正直、言葉が多くて回りくどい‼と感じました（笑）。理屈っぽい、というのでしょうか。映画だと、映像でスっと入ってくるので。

孟　作家を主人公にすることで、「美とは何か」とか「なぜ美が死を導くのか」といった、小説のテーマについてのややこしい議論が、小説のなかで無理なく言葉にされているんですね。美に魅入られていく人間の姿を描くだけではなく、その心理的葛藤もつぶさに言葉で説明されています。

「ヴェニスに死す」は、芸術がもつ理知的な側面と美的な側面の争いがモチーフになっていて、理知的な芸術が美の誘惑にからめとられ屈していくプロセスを描いています。映画では美の誘惑的な側面が前面に押し出されていますが、映画にくらべて小説のほうは、知的な側面が優位に立っているため、その抵抗と屈服の過程が、皮肉っぽくグロテスクにあぶり出されていきます。

高みへの憧れ、深淵への誘惑

孟　芸術や美は、人を高めるもの、という古典的な考え方があります。倫理的な芸術家アシェンバハは、「美」は「精神」への階梯であり、真理へと至る道だという古典的美学をよりどころにしてきました。小説のなかにも、美の化身であるタドゥツィオに触発されて、アシェンバハがみごとな作品を書き上げるシーンがありますね。
めぐみ　先ほどの「作家の幸福とは、全く感情になりきってしまえる思想を持つことである。全く思想になりきってしまえる感情を持つことである」（一九八）の続きですね。アシェンバハは、突然書きたい！と思い立ってタドゥツィオの姿を目に、その声を耳にしながら短い散文を書くのですが、すばらしい名文を書き上げてしまうのですよね。「その至純、その高貴、その張りつめた感情の弦《つる》は必ずや程なく多数の人々の驚嘆を招かずにはおかぬものであった」（一九九）とあります。
孟　アシェンバハは教養人なので、美や芸術について考えるときも、おのずと哲学的議論の伝統をふまえています。たとえば彼が「美は情を解する人間の、精神へ至る道なのだ」（一九七）とか、「美というものは、パイドロスよ（中略）、芸術家が精神へ赴くための道なのだ」（二四五―二四六）などとつぶやく場面が二度くりかえされています。この発言は、古代ギリシアの哲学者プラトンの引用です。めぐみさん、プラトンってご存じですよね？
めぐみ　師であるソクラテスの対話を多く著作に残した、お弟子さんですよね。また、プラトニック・ラブという言葉も、プラトンの名が語源だと聞いたことがあります。
孟　そう、「プラトニック・ラブ」のもとの意味は、美への「恋」すなわち「エロス」が精神へと至る、ということなんですよ。プラトンの対話篇のひとつ『パイドロス』（藤沢令夫訳、岩波文庫、一九六七年）のなかに、ソクラテスが青年パイドロスに美への憧れについて聞かせる印象的なお話があります。

ソクラテスによると、人間が美に憧れるのは、魂がかつて神々の世界にいたときに、美の真実の姿、「美のイデア」を知っていたからだ、といいます。魂はその後、地上に転落して人間の肉体に閉じ込められてしまいましたが、地上でうつくしいものを目にすると、かつて魂が見た美のイデアを想い出し、天上界への激しい憧れに駆られます。この「憧れ」が「エロス」です。また、美のイデアの認識を通じて、「真・善・美」の総体へと導かれていきます。感覚によって捉えることのできる美こそが、人間が、精神に至る道だというんですね。

めぐみ　なるほど。だからアシェンバハにとって、美少年との出会いは、彼の作家的資質を高めるきっかけとしても捉えられるわけですね。

孟　でも、これがあまりに理想主義的すぎる考え方だったことは、作中でも明らかにされてしまいます。アシェンバハの振る舞いを見てもわかるように、「うつくしいもの」が「正しい」道に導くとは限らないし、うつくしいものを手に入れようとして道徳を踏み外すことだってあります。

めぐみ　たしかに。アシェンバハ自身がタドゥツィオの「うつくしさ」に魅入られて、その後の人生がまったく変わっていってしまった、とも捉えられます。

孟　プラトンも、真の「美」への憧れが天上をめざすのに対し、目の前の感覚的な「うつくしいもの」に執着する「欲望」が、より高きものへの飛翔をさまたげる、とも言っています。だからアシェンバハは続けて、「深淵はわれわれを引寄せるのだ。（中略）形式と純真とは陶酔と欲望とへ（中略）、奈落へと導くのだ。（中略）なぜならわれわれには高く翔《かけ》る能力はないのだ」（二四七）とも言わずにはいられません。「美」にたずさわることの魅惑と危険をかみしめ、そしてその危険に身をゆだねてしまったことを自覚している発言です。小説ではこの二つの方向性が相争うさまが、克明に描かれています。

映画が語る美

孟　いっぽう映画のほうは、感覚的な表現で、「深淵」に引き寄せられ、美に屈していく主人公の心情によりそった描写がなされています。美をめぐる議論にも、さほど重点がありません。そもそも映画の主人公、作曲家アシェンバハはあまり語りません。芸術論も、独白や議論として挿入されてはいるけれど、断片的です。

めぐみ　たしかに。おっしゃるとおりです。それなのになぜ映画では、アシェンバハが深淵に引き寄せられる感じが伝わったのでしょう？

孟　言葉の代わりに、ほとんどせりふのない美少年の存在と、テーマ曲としてくりかえされるマーラーの陶酔的な音楽が、「美の誘惑」を雄弁に語っています。だから観客も、言葉なしに理解するんですよね。主人公を作曲家にしたことで、言葉ではなくて、映像と音楽で感覚的に伝える要素が強まっています。甘く哀切な音楽は、作曲家アシェンバハの心のなかで鳴り響く曲でもあり、彼の喜びや悲しみや戸惑いを代弁しています。

それと、映画を観るたびに心を揺さぶられるのが、アシェンバハの「まなざし」の描き方です。これも小説の、とくに後半の描かれ方とはかなり異なっています。

めぐみ　アシェンバハの「まなざし」の描き方が気になります。映画を観たときには、それに気づかなかったかもしれません。

孟　映画のカメラは、アシェンバハが少年を見つめるせつないまなざしをなぞり、観客は彼に感情移入することで、彼の心の揺れをともに体験していきます。たとえばタドゥツィオと目が合って取り乱すシーン。映画では、少年がアシェンバハを見つめ返す挑発的な、時に誘惑的な視線がとてもリアルで、観客もどきどきしてしまいます。

めぐみ たしかに……映画で見ると、タドゥツィオのうつくしさに引きずり込まれて、アシェンバハに感情移入させられてしまうような感覚がありました。

孟 映画は、なぜ主人公が少年に惹かれていくのか、とか、少年がどううつくしいのかを、いちいち説明しません。けれども映像の説得力が、アシェンバハを引きずり込む「美の怖さ」を否応なく体感させるので、「得体が知れない」のかもしれませんね。観客も、はじめて鑑賞したときには、まずはその美に身をゆだねて陶酔し、「魅入られる怖さ」に圧倒されて、言葉を失います。「美には、人を沈黙させる力がある」（小林秀雄「美を求める心」『新訂 小林秀雄全集 第九巻』新潮社、一九七九年、二二四ページ）といわれるとおりです。

めぐみ ただ、おそらくですが、その「得体の知れない」感じは、映画的な演出の技術にも支えられているわけですよね？

孟 そのとおりです。映画は映画で雄弁に美を語っていますよね。単にうつくしい俳優が演じているからではもちろんなくて、映画ならではの技法を駆使することで、独特の様式美がつくり上げられています。先ほども言ったように、カメラはアシェンバハのまなざしの行方を追っていきますが、それが「美的な映像」として再構成されていくのです。光と影のコントラスト、全身像のロングショットと表情のクローズアップの巧みな交替のうちに、少年ははじめの「彫像のような」姿から、場面ごとに生き生きと異なるたたずまいや表情を示すようになります。舞台が豪華なサロンや明るい砂浜、暗い横町や大聖堂などかわっていくごとに、少年の姿も、無邪気に子どもっぽかったり、さわやかな清潔感を漂わせたり、しかし時に神秘的で近寄りがたかったり、なまめかしく誘惑的だったりします。

めぐみ　たしかに。タドゥツィオ役の男の子が、映画のなかで本当にいろいろな表情を見せていたことは印象に残っています。

孟　主人公も映画の観客も、その都度、少年の新しい顔を発見するのですが、その底にある最初の「彫像のような」うつくしさはかわりません。さまざまにうつりかわる魅力と不滅の美とが二重写しになっています。

いっぽう主人公は、少年の姿を見つめ続けますが、それ以上の関係を結ぼうとはしません。話しかけることも働きかけることもなく、それどころか目が合っただけでもうろたえて目をそらしてしまうほどです。少年は、彼にとって触れてはならない手の届かない存在、見るだけの存在です。その距離感が、少年を生身の存在をこえた「究極の美」へと高めているのでしょうね。

めぐみ　映画を観おわったあとの脱力感を思い出しました。映画の描写だと、地位も名誉もあるアシェンバハがタドゥツィオに魅入られて道を踏み外していく様子が、説明がつかないのに感情移入させられてしまって……。このままだと良い結果にはつながらないのに、止められない……。

孟　こうした映像言語が語るものを分析的に読み解いていくと、映画が伝えようとしている意味が、感覚だけでもなく、知性だけでもなく、その両方の働き合いの場において、納得されていきます。

たしかに映画の結末は、およそ理想的な生き方を伝えてはいませんし、芸術家の主人公が、仕事も忘れて美少年にうつつを抜かし破滅するという設定自体、誰もが共感できるものではないでしょう。でも、人間の弱さや情けなさ、現実の醜さ酷薄さのなかにも、うつくしさがある。私たちは、そうした物語に心を動かされるのでしょうね。

小説が語る美

めぐみ　では、映画の描き方とくらべ、小説の描き方はどんな特徴があるのでしょうか？

孟　小説のほうでは、アシェンバハの少年に対する態度が、冷静な観察から抑えがたい恋情へとしだいに変わっていく様子が、第三者的な語り手の視点から、克明にモニタリングされています。

めぐみ　第三者的な語り手の、モニタリング……たとえば、どういったことでしょうか？

トーマス・マン

孟　アシェンバハは、少年を見ながら、先ほどもお話ししたプラトンの美学理論やギリシア神話の引用などをしたりして、自分の情熱を西洋文化の伝統のなかに位置づけようとします。ところが、語り手はそれを、「熱狂した作家」（一九八）とか「恋に溺《おぼ》れた男」（二四四）の妄言にすぎないとばっさり切り捨ててしまいます。美に魅入られて理性が抵抗力をなくしていく過程が、アシェンバハ自身の言葉と、語り手の言葉のずれとして浮かび上がってきます。読者はアシェンバハの破滅の過程に、一方では心を揺さぶられ、他方でその皮肉な意味を深く考えさせられます。

めぐみ　たしかに……小説のほうは、美に引き寄せられていく様子が、アシェンバハの独白にしろ、第三者の解説にしろ、逐一、言葉にされています。最終的に、アシェンバハは美にひれ伏してしまいますが、そのプロセスが克明に文字にされているのを読むことで、映画ほど「得体が知れない」とは感じませんでした。

孟　そう、美は、語ることもできますし、語ることで味わい方が変わってきます。作品に感動したら、その次は「どこがステキなのか」とか「なぜ、怖いんだろうか」とかもっと深く知りたくなりませんか？　お気に入りの映画や音楽については、うんちくを傾けたくなりますし、どこがどうステキなのかを伝えるには、「スゴイ」の一言では足りませんよね。

めぐみ　そういえば……私も、映画を観て、何かもやもやと思うことがあって、それを言葉にしたくて先生にお会いしに来たのかもしれません。

孟　それが、原作の古典を手に取るきっかけにもなったわけですよね。心動かされた作品をあらためて分析することで、私たちはその美をもっと深く知っていきます。そうした分析的な見方にとって、先人たちの美を語る言葉は、たとえば小説「ヴェニスに死す」の言葉もですが、良いヒントになるはずです。

うつくしさを「言葉にする」こと——文学の可能性

めぐみ　小説「ヴェニスに死す」で、タドゥツィオのうつくしさの描写のあとに、こんな一文がありました。

なんともいいようのない美しさだった。言語は感性的な美をほめ讃《たた》えることのみなしえて、よくこれを写しえないということをアシェンバハは今また身にしみて感ずるのであった。（二〇七）

この文章は、原作のアシェンバハが小説家という設定だからこそ際立つと思いました。

孟　いいところに注目しましたね。この文章は、芸術の営みをよくあらわしているように思います。アシェンバハは、「写す」のでなく「ほめ讃える」ことしかできない言語芸術の限界を、もどかしく思っています。けれども文学以外の芸術ジャンルにも広げて考えると、うつくしいものを「写す」ことも「ほめ讃える」ことも、よく似たところがあるのではないでしょうか。

めぐみ　「写す」も「ほめ讃える」もよく似ている……？　どういうことでしょうか？

孟　私たちはうつくしいものに心を動かされると、それを「写し」、何かの「かたち」にとどめて残したいと思います。うつくしい風景を写真に撮ったり、絵に描いたりすることもあるし、言葉にして人に伝えることもありますよね。あるいはまた、自分のなかにある「何か」――「美の原型」といってもいいし「感動」といってもいいでしょう――を表現しようとします。つまり理想の「美」を、「かたち」として写そうとします。そうした「模倣」や「表現」の衝動が、芸術創作の原点といえるでしょう。古代の哲学者プラトンやアリストテレスは、これを「ミメーシス」と呼んでいます。

めぐみ　たとえば、私たちが心を動かされると、スマホですぐ写真を撮る、みたいなアクションも、そういう「衝動」のあらわれかもしれませんね。

孟　そう考えるととても身近ですよね。でも、「美」そのものを完全に捉えることはできないので、不完全な「写し」をつくることや、あるべき美を「ほめ讃える」ことを通じて、美に接近するのみです。常に不完全な「写し」しかつくれないという点では、「言葉」というメディアであれ、「映像」であれ、共通しています。

めぐみ たしかに。スマホで撮影したものはあくまで写真であって、その瞬間の感動を完全に再現できるわけではありませんよね。

孟 そう、「憧れ」が完全に満たされることはないのですよね。でもここであえて、「言葉」を使うからこそ可能となる美との関係についても、注意を促しておきたいと思います。

小説の読者である私たちは、作家アシェンバハのいう「ほめ讃える」言葉の力に、強い促しを受けるのではないでしょうか。少年のうつくしさを、言葉を尽くして描写するマンやアシェンバハの手腕はみごとで、現実にはありえない「究極の美」の化身の現前を、確信させてくれます。それに導かれて、私たち読者は、おのおの自らの想像力によって「理想の美少年」をつくり上げることができます。たとえば、アシェンバハが少年を最初に目にしたときの描写に、こんな一文がありますね。

蒼白《あおじろ》く優雅に静かな面持《おももち》は、蜂蜜色《はちみついろ》の髪の毛にとりかこまれ、鼻筋はすんなりとして口元は愛らしく、やさしい神々《こうごう》しい真面目《まじめ》さがあって、ギリシア芸術最盛期の彫刻作品を想《おも》わせたし、しかも形式の完璧《かんぺき》にもかかわらず、そこには強い個性的な魅力もあって、アシェンバハは自然の世界にも芸術の世界にもこれほどまでに巧みな作品をまだ見たことはないと思ったほどである。（一六二）

めぐみ　たしかに、この描写を読むだけで、読者は自由に理想の美少年像を思い描くことができますね。

孟　他方で小説の映像化作品をみると、「自分が読んだときのイメージとは違う！」と思ったり、あるいは、映像のイメージに囚われて別のイメージが描けなくなってしまったりすることがありませんか？

めぐみ　あります！　映画で実写化されたシャーロック・ホームズや赤毛のアン、代替わりしたジェームズ・ボンドなどに、そんな感じを受けました。

孟　この映画の場合でも、タドゥツィオを演じた俳優のインパクトがあまりにも強いので、映画を観てしまうとほかのイメージがもう描けなくなってしまいます。

それにくらべると、小説の言葉は、読者の自由な想像力を刺激して、読者自身が「写す」能力を最大限に発揮させる力があります。それによって、「写し」にとどまらない「美そのもの」の輪郭を描いていくことにもなります。むろん美術や音楽の場合も同じで、私たち鑑賞者は、作品中で「目にしたもの」「耳にしたもの」それ自体の美を享受するのではなく、それに触発されて自分の想像力がつくり出したものをもって、作品の「美」を完成へとより近づけていくのだと思います。

卒業論文という「墓碑銘」

めぐみ　先生は大学の卒論でマンの『ファウスト博士』を扱ったとうかがいました。差し支えなければ、どうしてこの作品を先生が卒論に選ばれたのか教えていただけますか？じつは今、卒論のテーマ設定で悩んでいます。ある文学作品を題材に書いてみたいという憧れはあるものの、なぜそれで書きたいのか自分のなかで説明がつかなくて……。

孟　教養課程から大学三年生で独文科に進学したときから、トーマス・マンの作品で卒論を書きたい、というところまでは決まっていました。そのなかで『ファウスト博士』を選んだのはごく素朴な理由でした。難しくてよく理解できないけれど、読んでいるのが楽しくて、作品の魅力や謎をもっとわかりたいと思ったからです。好奇心を刺激されるポイントがたくさんあって、問いがいくらでもわいてきました。実際には、文庫本三冊の長編小説をドイツ語で読み通すだけで精一杯で、テーマを掘り下げる時間がなくなって、お粗末な結果になりましたが……。

めぐみ　おこがましいのですが、私も同じ状態です!!　もっとわかりたい、と思って調べていくのは楽しいのですが、今は「知る」を積み上げていくだけで精一杯で……。

孟　それで大丈夫、論文の題材やテーマは、ともかく好奇心をかき立てられるもの、楽しく取り組めるものを選ぶのが大切です。「テーマを絞り、深く掘り下げて」とか「先行研究をきちんと押さえて」などの心得はあれこれ言われますが、それはあとからついてきます。

めぐみ　ただ、これをあとで綺麗に卒論にまとめられるのかと思うと不安です。

孟　そうですね。不安な気持ちは、とてもよくわかります。でもね、私の学生時代の恩師のひとりが、「卒論や修論は青春の墓碑銘」とおっしゃっていたのを思い出します。

めぐみ　墓碑銘……ですか？

孟　記念碑でも里程標でもなく、戦いに斃《たお》れた若い日の自分が刻まれた墓碑、ということでしょうか。墓碑銘は言いすぎにしても、うつくしくまとめることを最初からめざさなくても、いろいろな試行錯誤も含めて、自分の学びのプロセスが刻まれるような論文を書けばいいんだと考えたらどうでしょう。そうしたらのびのびと進められると思います。残った問いやあらたに生まれた問題意識が、次の探究への種となってくれるのも、また楽しいですよ。うつくしい卒論で学びを締めくくることよりも、卒業後も常に学び続け、自分で問い続けていくことのできる力を体得する、卒論がそんなきっかけになってくれたら、ステキだと思います。

めぐみ　お話、心に沁みました。「うつくしい完結」を最初からめざさず、試行錯誤をくりかえしながら、自分なりに卒論と向き合っていきたいと思います！

（めぐみ役：奥野佐矢子）

Ⅱ

〈うつくしさ〉を読む

1 日本古代中世史から
――うつくしさをめぐる権力

土田直鎮『王朝の貴族』

栗山圭子《くりやまけいこ》
（日本古代中世史）

平安貴族のイメージ

日本的な「うつくしさ」とは？と聞かれたら、何を思い浮かべるでしょうか？　富士山や桜などの自然、枯山水の庭園、あるいは浮世絵などとともに、王朝文化や『源氏物語』の世界が挙がることは間違いないでしょう。美術館や博物館の特別展でも「王朝の美」や「源氏物語絵巻と王朝人の美意識」など、平安時代の文化に関する展覧会の開催は枚挙にいとまがありません。現在の平安貴族社会研究の基礎をつくり、いまなお古典的名著として読み継がれている『王朝の貴族』（中公文庫、二〇一九年）

で、筆者の土田直鎮《なおしげ》は以下のように述べています。

王朝貴族の生活や趣味・教養は、ひとつの模範として後世に伝えられた。それはこんにちに至るまで、王朝風という名で残され、日本風というもののひとつの基調をなしている。そしてまた、当然のことながら、日本の文学には宮廷にたいするあこがれや尊敬という伝統が、事実として存続した。後世の文学が日本の美について語るとき、夢はおのずから王朝の昔に立ちかえり、そのかがみとして源氏物語の世界が浮かんでこずにはいられなかったのである。

（一九ページ。以下、このエッセイで土田著書を引用する際には、ページ数のみを記載）

日本の美の源流には平安時代の文化があり、『源氏物語』はその時代の宮廷や貴族の世界を伝えるものといってよいでしょう。

では、『源氏物語』の時代を生き、日本的な美を生み出していった平安貴族たちについて、みなさんはどのようなイメージをもっているでしょうか？　束帯《そくたい》（貴族男性の正装）や女房装束《にょうぼうしょうぞく》（貴族女性の正装。十二単と俗称）を身にまとった男女が、華やかな後宮を舞

紫式部日記絵巻断簡
ColBase（https://colbase.nich.go.jp/）

台に、機知に富んだやりとりをし、歌を詠みかわし、恋の駆け引きを楽しむ――多くの人は、『源氏物語』に登場する貴族たちの姿から、高度の教養をもち、洗練された趣味に生きる優雅な振る舞いを思い起こす一方で、大多数の庶民の厳しい暮らしや山積する政治課題に目を向けることなく、恋や儀礼に明け暮れる頽廃的な姿を想起するかもしれません。

しかし、すでに土田が指摘しているのですが、『源氏物語』で描かれた世界は、平安貴族の生活の一面を示してはいるものの、すべてではありませんでした。平安王朝を生きた「光源氏」たちは、歌を詠み恋に泣きもしますが、一方で、日々の政務をこなし、熾烈《しれつ》な競争に明け暮れる政治家・官僚でした。平安貴族の現実生活には、じつは『源氏物語』には十分に描かれていない世界が広がっているのです。

平安王朝における「うつくしさ」を知るためには、『源氏物語』的世界とそれ以外の世界を合わせた、宮廷社会全体の現実をつかむ必要があります。このエッセイでは、上記した土田直鎮『王朝の貴族』をもとに、平安貴族社会の実態を把握した上で、平安貴族にとって「うつくしさ」とはどのようなものであったのかについてせまっていきたいと思います。

貴族日記における「美」

平安貴族たちは、何に「うつくしさ」を感じていたのでしょうか。試みに、「美」という語を、平安貴族たちが書き残した日記のなかから検索してみましょう。すると、「尽善尽美」「美なり」「優美」「過美（華美）」「美服」などの語が検索事例上位に上がってきます。では次に、それらの語がどのようなものに対して、あるいはどのようなシチュエーションにおいて用いられたのか、もう少し詳細にみてみましょう（傍点は引用者）。

①舞人の地摺《じずり》の袴・所々の袴、尽善尽美、金銀・螺鈿《らでん》・金繡等交飾をもってす、あるいは、五重の綾重《あやかさね》の袴等あり、華美敢えて云々すべからず、
（『小右記』寛弘二年〈一〇〇五〉三月八日条）

②三后の御座、尽善尽美、
（『小右記』寛仁二年〈一〇一八〉一〇月二二日条）

③予の装束、蘇芳下襲《すおうしたがさね》ならびに黒袍《くろほう》美なり、
（『後二条師通記』寛治四年〈一〇九〇〉一一月二九日条）

④六位等、美服により勘当あり、
（『御堂関白記』寛弘三年〈一〇〇六〉一一月一五日条）

⑤内大臣初執筆、次第作法まことに優美なり、
（『中右記』寛治七年〈一〇九三〉正月五日条）

これらの語が用いられた状況をみてみると、ひとつには、袴や装束などの美しさを讃えるもの（①・③）、御所の設営や建造物の見事さを称賛するもの（②）など、モノの「うつくしさ」について用いられています。一方、興味深いのは、「美服」はうつくしいモノであるにもかかわらず、それが褒め讃えられるのではなく処罰の対象となっています（④）。もうひとつの用法としては、モノに対してではなく、問答や作法など、所作や行動に対

して用いられる場合があります（⑤）。たしかに、いまでも「あの人は食べ方がきれい」など、所作の「うつくしさ」が称賛されることはあります。しかし、この事例、じつは平安貴族の「お仕事の真っ最中」の行動に対して用いられているのです。たとえば、現在、国会や閣議での大臣の様子をみて「法務大臣、おうつくしい……」というような思いを抱くことは、ほぼないのではないでしょうか。

これらの「美」に関する用例は、じつは平安貴族の現実をよく示しています。そこで、以上の二つの用法を手がかりに、平安貴族にとって「うつくしさ」とはどのようなものであったのかをみていくことにしましょう。

平安貴族のハードな毎日

まずは、貴族の所作や行動と「うつくしさ」の関係について考えます。ここで、『源氏物語』の書かれた時代である摂関政治の全盛期を生きた対照的な二人の貴族に登場してもらいましょう。ひとりは藤原顕光《あきみつ》、もうひとりは藤原実資《さねすけ》で、かの藤原道長と同世代の人物です。以下、道長の孫の後一条天皇が皇位についた際に行われた固関《こげん》・警固の儀式（勅により諸国の関を警固させること）から、顕光の仕事ぶりについてみてみます。

かれは自分がとりおこなったせっかくの儀式で、かずかずの失態を演じて、人々の物笑いの種になったのである。（中略）

第一には、かれが式次第をいろいろと間違えたことである。この日、実資は午後三時ごろに参内したが、そのときすでに顕光は固関の式を始めていた。ところが、顕光が固関の命を記した太政官符《だじょうかんぷ》を持ってくるようにしきりに催促するけれども、係の史《し》とか外記《げき》とかいう太政官の役人たちは知らん顔をして、一向に官符を提出しようとしない。

これは、役人たちにも言いぶんがあるので、この儀式では官符のほかに勅符《ちょくふ》というものが出されるのであるが、この勅符という文書は勅命を記したものだから手続きがやかましくて、まず勅符の草稿を提出し、よしとなってから清書して再提出する。そしてこの勅符の清書がすんでからつぎに官符を提出するのが順序なのに、顕光は勅符の草稿ができただけで、清書もまだ命じていないのに、官符を出せといって来るから、役人たちは順序が違うといって官符を提出しないのである。そこで実資は、まあ大臣が出せというのだから、提出したらよかろうといって式場へ入った。するとやがてやっと官符を外記が持って来る。顕光は官符を一覧して、これを勅符の草稿といっしょに内覧《ないらん》の左大臣道長に見せるように命ずる。本当はさきに勅符の草案だけを道長に見せ、さらに天皇に奏上し、それがもどって来たら清書させて、この勅符の清書と一緒に官符をそえてまた道長に見せ、天皇に奏上すべきところなのである。（中略）

　こんなわけで、顕光は式次第をつぎつぎに取り違えてさんざんなていたらくであったが、このほかにもいろいろな失敗を重ねている。

　たとえば式の途中で役人を召すのに、儀式のときは

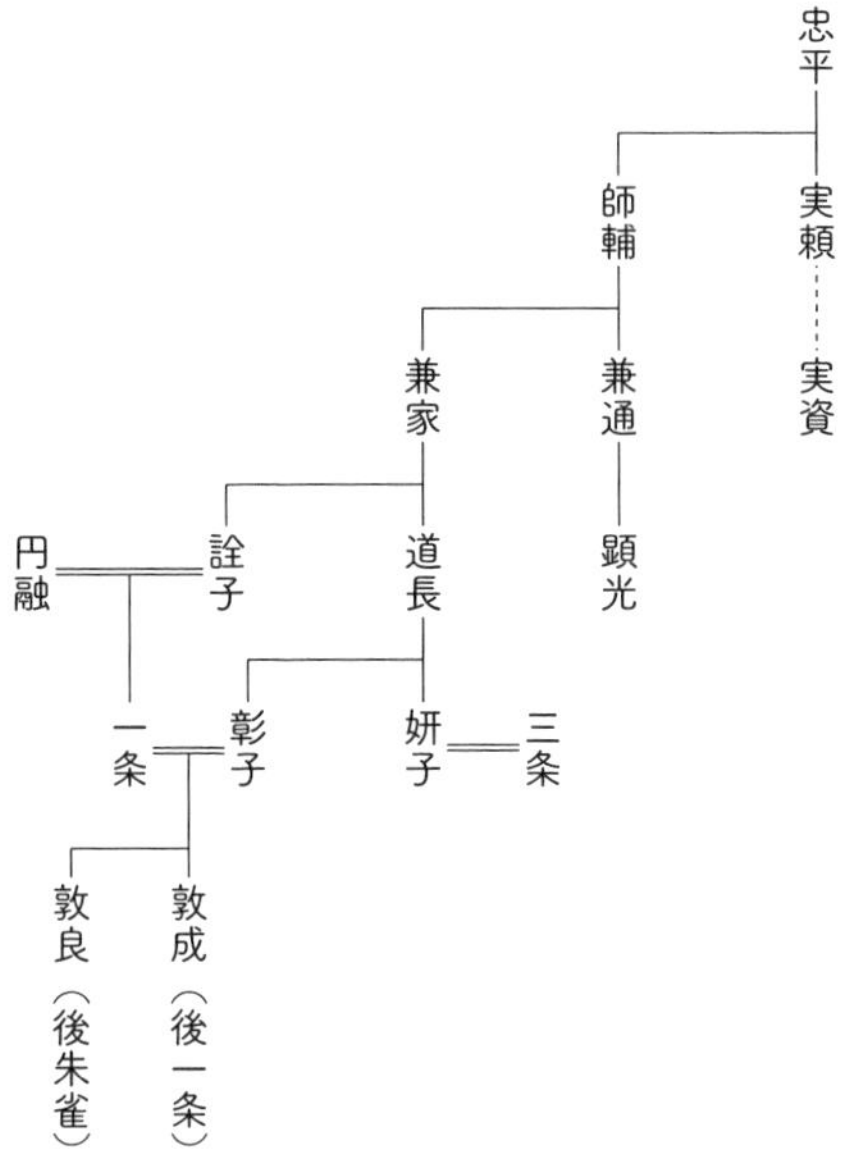

藤原氏・天皇家関係系図

ふだんと違って特別の召詞《めしことば》を使うのであるが、これを間違える。少納言はふだんならば「ショウナゴン」と呼べばよいが、儀式になると「スナイモノモウスツカサ」と呼ばなければいけない。(中略)
ところが顕光は少納言を召すのに、「スナイ」を「スノイ」といい、しかもこれをなんどもやるので公卿たちがニヤニヤ笑っている。
(二二九―二三二ページ)

長々と儀式の次第（と顕光の失敗）を書き連ねて、うんざりしたかもしれません。そして、勅符が先だろうが、官符が先だろうが、たいして変わらないんじゃないか、「スノイ」とちょっとぐらい間違えたって別にいいじゃないか、と思われた方も多いでしょう。ですが、あえて長文を引用したのは、その「うんざり」を体感していただきたかったからです。なぜならば、現代の私たちにとって、この煩瑣《はんさ》で、七面倒で、どうでもいいような儀式次第こそが、平安貴族の最大の関心事だったからです。

ところで、朝廷が儀式の場になったということ自体は、はなはだしい間違いとはいえない。実際、当時はあらゆることが儀式としておこなわれる一面があって、外記政や請印《しょういん》のような行政事務的な事柄も、ひとつの儀式として、その作法が儀式の書にも解説してある。そこには、どういう内容の文書はどの手続きで処理するかというようなことも、多少は心得として見えているが、政策的なことは一言半句も記されていない。しかし、このような儀式そのものがすなわち当時の政治なのであって、施政方針を示し、新規の政策を誇示してみせるような、こんにち流の政治は、当時は存在しないのである。

儀式と政治を区別して、朝廷では儀式をやっているから、どこかよそで政策を立てているのだろうと思うのは、こんにちの感覚から割り出した錯覚で〔ある〕

（三七五ページ／〔　〕内、引用者による。以下同様）

平安貴族にとって、先例を遵守し、細かな儀式次第を頭に入れて、礼儀作法を整えて行政事務や儀式を行うことが、政治にほかなりませんでした。儀式と政務は分かちがたく結びついており、儀式に精通していることは、故実家に求められた素養なのではなく、政治家として必須の要件だったのです。

そして、顕光とは対照的に、当時の貴族社会の模範として一目置かれていたのが実資で

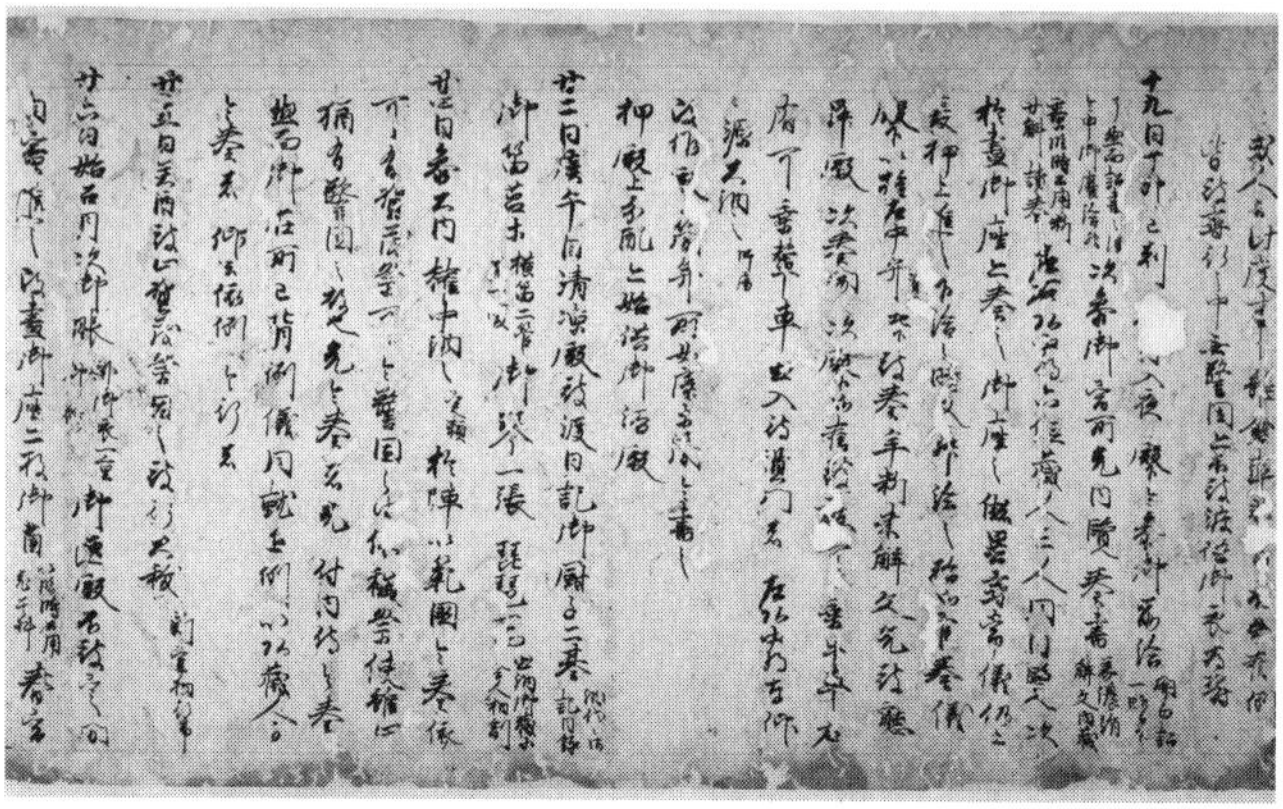

後一条・後朱雀天皇や摂関家に仕えた貴族の日記（『範国記』長元九年四月一九～二五日条）　京都大学附属図書館所蔵

す。実資も、後一条天皇の代替わりの際に行われた石清水・賀茂社行幸の上卿《しょうけい》（恒例・臨時の行事を執行する際の責任者）に選ばれました。実資のもとには、行幸に関するありとあらゆる問題が殺到します。行幸の際に神社に奉納する神宝類の選定や調達、神社の破損箇所の調査や修理、天皇の御座所の新築、諸国に課税した行幸費用や資材の催促などなど。行幸準備に忙殺されるなか、さらにこの間、実資は、やはり天皇一代のうちに一度だけ催される一代一度大仁王会《にんのうえ》（仁王経を講じ国家の安泰を祈願する仏事）の担当にも指名され、見事それらをやりとげています。「これらを先例旧規を考え、周囲の実情とにらみあわせながら処理していく手際は、さすがにあざやか」（三六三ページ）なものでした。

　顕光の失態や実資の奮闘ぶりから明らかなように、貴族が日々の職務を遂行していく上では、相当な心得が求められていました。それらは生半可な努力で身につくものではありません。貴族たちが、自身の知識の蓄積・更新・洗練のために行ったことが、日記をつけるという行為です。現在の私たちにとって、日記とは、自分の私的な行動や個人的な思いを書くもの、というイメージがあります。しかし、当時の日記は違います。彼らは、自分自身が後日参照するためだけではなく、子孫も先例としてのちのち利用できるように、自らが参加したり、見聞きしたりした儀式の作法や政務内容を日記に書きつけたのです（二四九ページ）。

　実資の日記をひもとけば、「一日分の量がはるかに多くて、二百字、三百字なぞは当たり前のことであり、五百字、六百字、さらには千字を越す日もざら」（二六二ページ）にありました。その克明な記載と記憶力は驚くばかりです。実資の博識には日々の鍛錬の裏付けがありました。そして、たゆみない努力の積み重ねで得られた知識や作法をもとに、よどみなく儀式を執り行うことこそが、平安貴族にとっての政治でした。平安貴族たちが同僚に寄せた「優美なり」のことばは、単なる所作の「うつくしさ」を示すのにとどまらない、政治家としての有能さを示す称賛の声でもあったのです。

禁制と逸脱と

次に、モノの「うつくしさ」をめぐる問題について考えてみましょう。平安貴族の「うつくしさ」といえば、絵巻物に描かれた平安貴族の装いを思い浮かべる人も多いでしょう。ですが、彼らは自らのファッションセンスにしたがって、思いのままに自分の好きな格好をできていたわけではありません。当時の貴族たちには、官位別・身分別に細かに定められた服飾規定があり、装束にどのような地質・色目・文様などを用いるかについては厳しい制約がありました。たとえば、当時「禁色《きんじき》」ということばがありました。禁色とは、勅許されなければ着用できない色や服地のことで、天皇やキサキに仕える女房たちの場合、禁色を許された人だけが、赤色や青色の唐衣《からぎぬ》と地摺《じずり》の裳を着用することができたのです。逆にいうと、赤色の唐衣を着ていれば、「ああこの人は禁色を許された上臈《じょうろう》の女房なんだな」ということが一目でわかるわけで、服飾には身分や序列を可視化する機能があったのです。

服飾に以上のような機能があったとすると、許容された枠内に飽き足らず、派手な装いに走るということは、身分秩序を踏み越える行為にほかなりません。そのため、朝廷はしばしば身分不相応の装いを制止する過差禁制《かさきんせい》を出しました。「過差」とは、度をすぎたぜいたく、奢侈《しゃし》のことをいいます。たとえば、摂関政治全盛期を生きた一条天皇は、「諸官司や諸家に仕える下級の役人たちは細美《さいみ》布を着てはならない」「袖の広さは一尺八寸以上、袴は三幅以上は規制の対象」などと定め「美服過差一切禁断」の命令を出しています（長保元年〈九九九〉七月二七日太政官符）。平安貴族社会が身分秩序を前提とする社会である以上、その社会秩序維持のためには、そこから逸脱するものを厳しく取り締まる必要があったのです。さきに貴族日記における美の用例をみた際に、「美服」が処罰の対象となっていた事例を挙げましたが、それは、まさにここで述べた、身分秩序と「うつくしさ」の関係を示すものといえます。

そもそも「うつくしさ」の追求は度を超えると、ぜいたくや浪費につながります。ですので、ぜいたくの禁止・倹約の推奨という論理からも過差は禁止されねばなりませんでした。じつは、ぜいたくを忌避し、倹約を旨とすることをもっとも求められたのが、宮廷社会の頂点にたつ天皇でした。聖主や賢帝と称賛される天皇は、貧しい民を思い、自らの衣服や食事を粗末なものにとどめさせた説話で彩られています。倹約に徹する天皇こそが徳の高い天皇であり、また天皇たる者は、ぜいたくを禁じ倹約を勧め、社会を正しく導くことが求められたのです。その目的のために発令されたのが過剰な浪費を禁じる過差禁制だったのです。

過差禁制の発令とその徹底は、天皇としての評価に直結します。天皇が命じたことにより、社会に倹約があまねく行き渡ることになれば、それは、その天皇が人の世の乱れを正し、より良き世を実現したということになりますから、天皇の君徳の高さを示すことにつながるのです。藤原道長の時代には、さきに例示した一条天皇のほか、三条天皇も過差禁制を出しています。しかし、道長は、両天皇が出した過差禁制に対して対照的な行動をとっています。たとえば、長保元年（九九九）七月に一条天皇が発した過差禁制に関して、道長の娘である中宮彰子《しょうし》に仕える従者たちが禁じられた絹の袴をはいている、と通報されたと聞いた道長は、一条天皇にあわてて弁明しています（一七七ページ）。

一方、長和二年（一〇一三）四月、三条天皇は、賀茂祭に先立って、祭に随行する人びとの人数制限や織物着用の禁止を命じましたが、「祭のふたを開けてみると、その華美は、先日の禁令などはいっさい無視した未曾有《みぞう》のものであった」のです。そして、その事態は、じつは「道長は華美の禁止を奏上しておきながら、陰では禁令を無視せよと人々に命じた」というものでした（二九三ページ）。

道長は、なぜこのように相反する対応をとったのでしょうか。それは、道長と両天皇の関係性に由来しました。一条天皇と道長は、一条天皇の母詮子《せんし》（道長の姉）・妻彰子（道長の娘）を介し、良好な君臣関係を取り結んでいました。しかし、三条天皇と道長には媒介項となる存在が少なく、さらに、道長の孫の敦成《あつひら》親王（のちの後一条天皇）が皇太子になっていましたので、道長としては一刻も早く三条天皇に退位してもらいたい、というのが本音だったのです。つまり、道長は「過差禁制を積極的に破らせることで、三条天皇の君徳の発現を妨げ、それによって〔三条天皇に〕精神的に屈辱感を与え」ることを図ったのでした（遠藤基郎「過差の権力論」服藤早苗編『王朝の権力と表象――学芸の文化史』森話社、一九九八年、一一一ページ）。過差禁制からは、天皇統治の正当性の問題や、政治の主導権をめぐる権力闘争のさまを考察することができます。

平安貴族が日がな宴会や恋愛沙汰にうつつをぬかしていたのではなかったことはおわかりいただけたでしょうか。彼らの日常は、想像以上にハードで複雑で気を遣うものでした。

いまに伝わる王朝文化は、そうした平安貴族の現実から生み出されたものです。平安貴族にとって「うつくしさ」とは、能力であり、秩序であり、政治でもあったのです。

あらためて、みなさんは何に「うつくしさ」を感じますか。それは、あなた個人の感性のみによるものではなく、私たちがいま生きる社会の在り方と無関係ではないはずなのです。

ブックガイド

「たまきはる」（新日本古典文学大系五〇『とはずがたり　たまきはる』）
健御前　岩波書店、一九九四年

著者の健御前は、歌人で名高い藤原定家の姉です。若き日は建春門院に、女院の没後は八条院やその養子の春華門院に仕えた女性です。本書では、宮廷の中心にいた女主人たちに仕えた健御前の長い女房生活が回想されています。圧巻は、四季の服装や衣替えの時期、同僚女房たちの装束など服飾関係の記事が克明なことです。本書を読めば「鮮やかにうつくしき衣ども」を身にまとった女房たちの姿とその日常を具体的にたどることができます。なぜ彼女がここまで服飾にこだわったのか、その背景に思いをはせてみてください。

『魅惑する帝国——政治の美学化とナチズム』
田野大輔　名古屋大学出版会、二〇〇七年

ヒトラーが若い頃に芸術家を目指していたことはご存じでしょうか。この本では、ナチ

ス第三帝国をヒトラーと国民がともに築き上げた芸術作品とみなし、その構築の過程が、ナチ党党大会や、さまざまな芸術・文化政策の分析を通じて明らかにされます。著者は、「ナチズムにわれわれの美意識をくすぐるような「魅力的」な側面があったこと」を認めてこそ、ナチズムの本当の危険性が明らかになると強調します。ナチズムの追求した「うつくしさ」を、みなさんはどのように評価されますか。

『獄中からの手紙』

ローザ・ルクセンブルク（秋元寿恵夫訳）　岩波文庫、一九八二年

ドイツのマルクス経済学者であり女性革命家であったローザ・ルクセンブルクが、主に獄中から友人に宛てて送った二二通の書簡。第一次世界大戦下、しかも政治犯として理不尽な獄中生活を強いられていたなかにあって、ささやかな日常、そして自然と人間への慈しみを語る彼女の言葉は、逆境のなかでも決して色あせない人間の精神の気高さ、うつくしさそのものであり、読む者の心に深い感動を呼び起こします。ここに収められた最後の書簡から三ヶ月後、出獄した彼女は虐殺され、四七年の生涯を閉じました。

2 公衆衛生の社会学から
——「見た目判断」と健康美の話

バーバラ・スタフォード『ボディ・クリティシズム』他

横田恵子《よこたけいこ》
（臨床社会学）

うつくしい人は健やかである？

『人は見た目が9割』という本が新潮新書から出たのは二〇〇五年のことでした。この本はまたたく間にベストセラーとなり、今も変わらず店頭に並んでいます。著者の竹内一郎はその後もこの路線を継続し、二〇一三年に同じ出版社の新書で『やっぱり見た目が9割』、さらに二〇一六年には『結局、人は顔がすべて』というタイトルで朝日新聞出版から新書を出しています。三冊ともに「表情やしぐさを含む非言語的メッセージの大切さ」を中心に説いている内容なので、きわめて穏当な主張が展開します。しかし、おそらく本を購入した多くの人びとは、次々と打ち出されるシリーズのタイトルから、本の内容も「人は容姿第一、うつくしい顔立ちがすべてだ」と謳っているように反応してしまいました。

私たちは、顔立ちや姿がうつくしいことに過剰な価値を置いたり、あるいは反対に「人間は顔や体形じゃない、心のうつくしさがすべてだ」と真逆に大きく振れたり、極端に走ってしまうのですが、考えてみると「うつくしい人」のイメージ自体、本来捉えどころがないものです。たとえば、美術史家のバーバラ・スタフォード（Stafford, B.M.）は次のように述べています。

メタファーはひとつの時代の牢固たる、あるいは変化していく固定観念に具体的なかたちと布置を与える。

（バーバラ・スタフォード『ボディ・クリティシズム――啓蒙時代のアートと医学における見えざるもののイメージ化』高山宏訳、国書刊行会、二〇〇六年、六〇〇ページ）

ある時代や場所において何がうつくしい姿かたちなのか、というのは、最初はあまりはっきりとはしないイメージなのに、くりかえしひとつのパターンが持ち上げられ、描かれ、理屈づけられることで、逆にその時代・社会の人びとが影響を受けてしまい、いつの間にか、曖昧だった理想のうつくしさが一定の具体性を帯びてしまう、ということでしょうか。そして、一度定められたうつくしさの基準は、心身の健康度を表す指標としても抵抗なく使われるようになります。さしずめ今の時代なら、「健康美」という言い方が耳になじむ表現ですね。

医学図版（アトラス）の出現——芸術、博物学、医学のコラボレーション

今から三〇〇年ほど前の話になりますが、一八世紀のヨーロッパでは、いろいろな領域で見えないものの「見える化」が進みました。人の身体も例外ではありません。当時、近代解剖学が発展したことや顕微鏡の性能が改良されたことなどで、それまで見えなかった人や動物の皮膚の内側の構造や、存在すら想像していなかった微生物が可視化されていきました。そして、見えるようになったものや発見された新しい形体は、画家や絵師によって医学図版（アトラス）に細密に書き留められ、医学教育や診療に影響を与えていきます。

観察したものは精確に（そしてもちろん、うつくしく！）写さなければなりませんし、特徴ごとに整理分類してまとめることも必要になります。その分類や整理の基準や判断の根底には、やはり当時盛んになっていた博物学の知識や写生の技術がありました。

その後も見えないものを見ようとする流れはとどまらず、一九世紀になろうとする頃には、たとえばドイツの医学部は他の自然科学系学部と同じように専属絵師を雇い、学術的な絵画や図版を精確に描かせていたそうです。そして医学生たちも、観察眼を養うために解剖図のスケッチを練習することが重要だと勧められていたようです（石原あえか「科学と芸術のはざまで――ゲーテ時代の大学絵画教師からムラージュ技師まで」『ドイツ文学』一四六号、二〇一三年、八九ページ）。医学図版がたくさん描かれるようになれば、何が正常で何が病気（異常）なのかを見分ける感性・感覚は、同時代で視覚的に共有されるようになります。そしてそこでは、整っていて正常な身体がうつくしく、それに対してバランスが崩れていて病気（異常）の様相を表す身体が醜い、という今の私たちにも何となく通じるような美的感性・感覚が育っていっただろうことも想像ができます。バランスが取れているることがうつくしく、そのうつくしさが健やかさにつながるという今も残る価値観は、当時の医学図版が後押ししたあたりから始まったのかもしれません。ちなみに、その後の医学図版には写真技術や放射線技術を使用した図解も加わり、ますます本物らしさを醸し出すことになりました。

二一世紀の今、もし私たちが自分の身体の内側を知りたければ、CTやMRIなどの機械に自分の身体をまるごと、そのまま突っ込むだけで済んでしまいます。その結果は画像ですぐに描かれて出てきますし、何なら処理を施した3D画像で立体的な視覚イメージを見ることすら簡単にできます。そして、それらの画像は、（やはり一八世紀と同じように）整った標準のかたちとどれくらい一致するのかをよりどころとして、モニターを見ながら正常か異常かを判断するわけです（診断画像を見ながら、医師はよく「ああ、きれいですね。問題ないですよ」と言いませんか?）。

医療場面だけではありません。健康に気を付けて元気で長生きしましょう、という病気の予防の呼びかけにも、さりげなく「健康な身体はうつくしい」ということが主張されています。このエッセイの最後では、このあたりのことを、実際の公衆衛生ポスターを例にとって考えてみたいと思っています。

近代の医学図版が表現する病と美醜

一八世紀ヨーロッパの美術と医学の関係は、たとえば先ほど引用したスタフォードの著書、『ボディ・クリティシズム』に詳しく載っています。何が病気で何が正常かを精密な絵や版画で表したその当時の図版が残っているのです。その基準のひとつに「うつくしい肌にできる醜いデキモノ、それは病の証！」とでもいうべき判断が見えます。

当時はいくら解剖学が盛んになったとはいえ、実際の診療場面で人をいちいち切り裂くわけにもいかず、何よりこの時代には、今のようなＣＴスキャンも超音波画像診断も、そして（一九世紀末までは）レントゲン撮影もなかったのです。病気（異常）かどうか診断する場合、たいていは皮膚に表れる兆候で判断するしかありませんでした。それらの皮膚の兆候（たいていは醜い膿《うみ》、瘡《かさ》、瘤《こぶ》、腫物、湿疹など）は、先に述べた博物学や、やはり一八世紀に体系化された近代観相学（顔立ちから人の性格や特徴を判断する学問）の知識をよりどころとして「醜いものカタログ」として記録され、医学図版に知識として蓄えられました。

現代医学の発展の下、健康診断で定期的に身体の内部までチェックして、たいていの病気を防ぐか軽く済ませることがあたりまえとなった私たちは、肌に病の兆候が表れたときにはたいてい手遅れだ、ということを知っています。顔が崩れ落ちる梅毒やハンセン病、疣《いぼ》が無数にできる天然痘やペスト、乳房が膿んで異臭を放つ乳がん、鱗のように皮膚が剝がれ落ちる疥癬《かいせん》、蒼白な顔色になる結核……。今ではこんな状態になるずっと前に病気は発見され、たいていの場合は大ごとになる前に治療が開始されますが、当時はここまで肌に表れなければ、病気に罹ったかどうかを知るすべはありませんでした。——ちなみに、この当時の様子は文学作品にも多く描かれています。特に「うつくしく高貴な女性が醜い肌となって病が発覚する」というテンプレは、割と人気があったようで、このような小説を研究する「文学と病（医学）」という研究分野もあるくらいです（興味のある人は、石塚久郎監訳『病《やまい》短編小説集』（平凡社ライブラリー、二〇一六年）

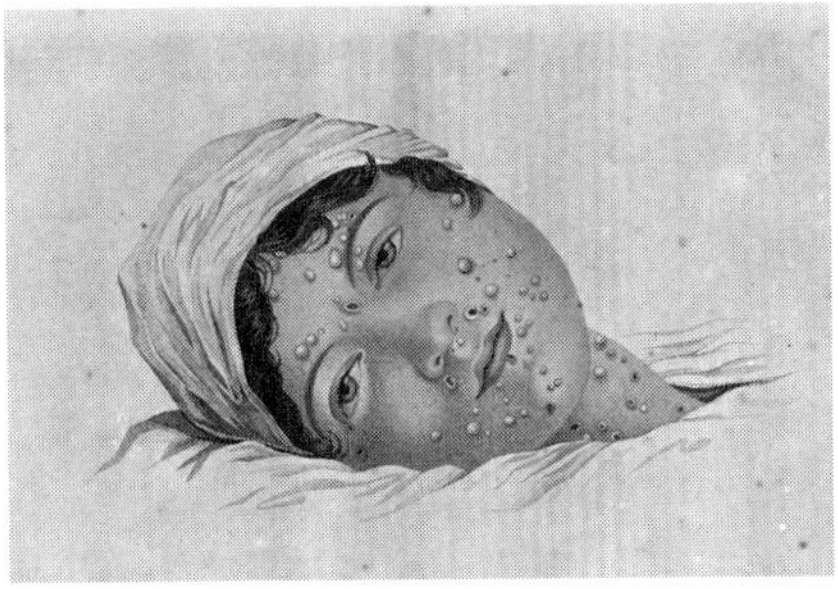

フランスの皮膚科医ジャン－ルイ・アリベールによる天然痘膿疱の図版（1833 年）

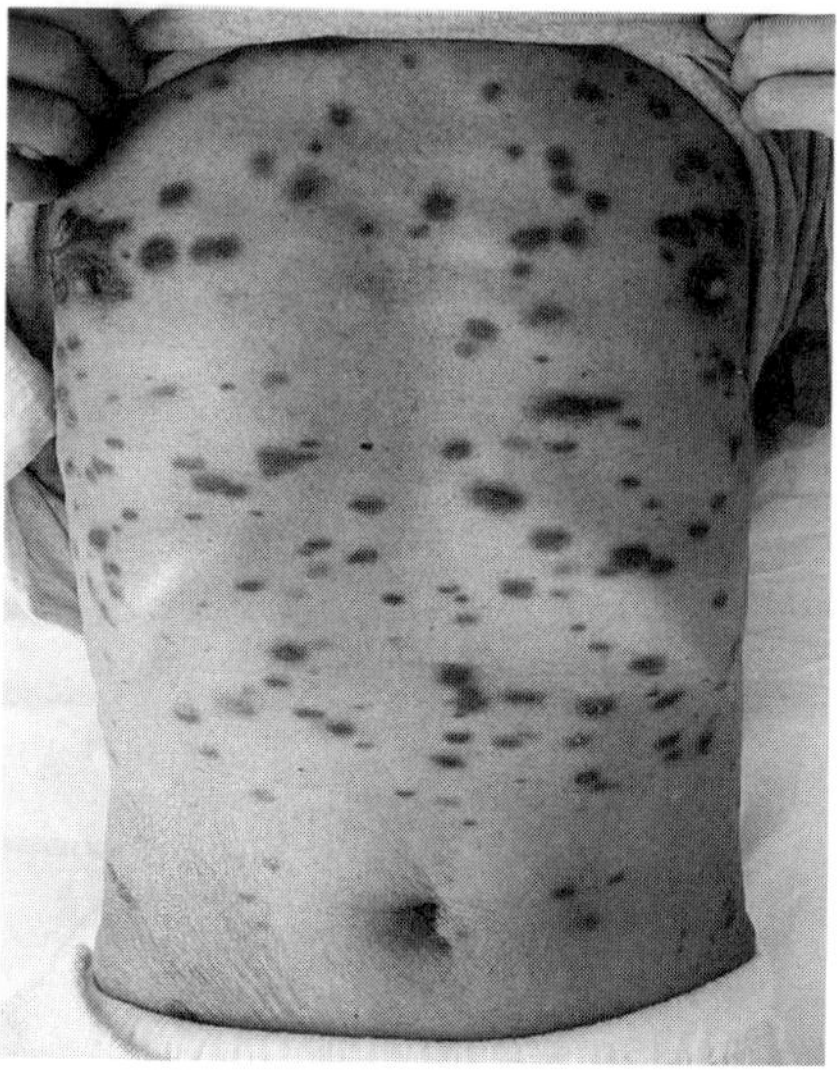

カポジ肉腫（国立国際医療研究センターエイズ治療・研究開発センター『HIV感染症とその合併症　診断と治療ハンドブック』より）

などを読んでみると面白いかもしれません）。

二〇世紀初頭までは、小説でも医学図版でも、健康な状態は完全無欠の皮相美（肌のうつくしさ）として描かれてきました。病気の進行は、刻々と増える皮膚の膿、瘡、ぶよぶよの腫物や瘤で表され、それらは線描画で精緻にそして写実的に描かれ、それを眺めた人びとは、肌のうつくしさがなくなっていく過程を「人が人ではなくなっていく過程・様子」と解釈したのです。

これはすっかり過去のことで、今はそんな迷信じみたことはない、といえるでしょうか。実はそうでもないのです。一九八〇年代のはじめにエイズが最初に先進諸国の表舞台に出てきたとき、一般メディアにセンセーショナルに取り上げられ、エイズの代表的イメージとなったのは「カポジ肉腫」の写真でした。ここに転載している写真は国立国際医療研究センターの『ＨＩＶ感染症とその合併症　診断と治療ハンドブック』からの学術的な画像ですが、一九八〇年代から九〇年代にかけては、このような画像に触発された患者イメージが、ドラマや映画でも「エイズ患者」のシンボルとしてよく使われていました。昔も今も、「うつくしい肌理《きめ》が醜く変貌していくこと＝健康や若さが損なわれて救われない病になること」という図式は、たいして変わっていないのかもしれません。

皮相美にこだわる九〇年代エイズ文学

二〇世紀になる頃には、健康なうちにワクチンを接種して病気を予防する手立てが制度化されてきました。その結果、ずいぶん多くの病気が、罹る前に防ぐことが可能になり、たとえ罹ってもひどくなる前に治まるようになりました。皮膚の異常が表れるまで病に気づくこともできなかったかつての時代、病気になる前に準備するには科学的な方法が未熟だったついこの間までの時代がようやく過去の歴史として語られ始めたのは、そんなに昔のことでもないのです。一九八〇年に発表されたWHOによる天然痘根絶宣言は、人類が病――身体のうつくしさやバランスを崩すもの――に打ち勝ったという、象徴的なメッセージだったといえるでしょう。

ところがまさにそのとき、先進諸国といわれるヨーロッパから北米社会にかけて、エイズが現れたのです。最初の症例報告が一九八一年ですから、まさに人類社会が感染症を制圧したと信じ始めたタイミングでした。さらに発見当初、エイズは原因や感染の仕組みなどがすぐにはわからず、「よくわからない奇病」として記述するよりほかありませんでした。そのため、病気の様子を記述する際に、またもや「醜い腫物（カポジ肉腫）」や「激やせ（カリニ肺炎の症状のひとつ）」など、身体表面の見映えの変化、特にうつくしさが損なわれていく過程として説明されていったのは、皮肉なものだといわざるをえません（ただし、今回は絵師による線画ではなく、医学雑誌に載るよりリアルな症例カラー写真としてですが）。

「病の文学」も再び盛んになりました。有効な治療法がなかった一九八〇年代終わりから九〇年代半ばにかけては、いくつかの映画（『野生の夜に』『私を抱いてそしてキスして』一九九二年、『運命の瞬間《とき》』『フィラデルフィア』一九九三年）、ブロードウェイミュージカル

（『RENT』一九九六年初演）、テレビドラマ（『神様、もう少しだけ』一九九八年）、文学作品などが生まれました。さまざまな表現のなかでも、うつくしさを損ないつつ死に至る病としてのエイズ、という記述は、当時それなりに重要な位置を占めていました。そもそも、上記に名前を挙げた作品の主人公を演じた俳優をざっと思い起こしてみても、トム・ハンクス、シリル・コラール、南野陽子に深田恭子。うつくしいとされる見映えの人たちばかりではないですか。そして、これらのうつくしい人たちが、病を得て肌に烙印《スティグマ》を見、どんどんやせ衰え、うつくしくなくなる「演技」をくり広げるわけです。

あるいは『運命の瞬間――そしてエイズは蔓延した』では、主要な登場人物たちがＨＩＶに感染していくシーンで、首筋や足首に「腫物」「シミ」を見つけるシーンがさりげなく、しかしくりかえしクローズアップされます。「醜い腫物、皮膚のシミを見ることで病を知る」メタファーのくりかえしです。

醜さを見せないことにこだわる公衆衛生のエイズ表象

同時期、つまり一九八〇年代〜九〇年代の先進諸国では、政治や社会の組織、そのなかで特に現実に病気をコントロールする役割を担う人びとはどのようなことを考え、実践したのでしょうか。このあたりのことは、サンダー・ギルマン（Gilman, S. L.）が、エイズ予防啓発ポスターの分析をすることで明らかにしています（『健康と病――差異のイメージ』高山宏訳、ありな書房、一九九六年、一四四・二一〇ページ）。

先進諸国では、病気を何とかしなければならない責務を負う立場の人びとは、先ほどの芸術表現のジャンルとは反対に、病める身体（たとえば、皮膚の腫物やシミに侵食されて醜く見える身体）をあえて描かないことでうつくしさ（健康）を保つことを呼びかける、という方法を取りました。ギルマンは、大衆向けの公衆衛生ポスターの分析を通じて、恐怖や嫌悪を引き起こすような「あらゆる臭い、あらゆる触感がこの〔＝公衆衛生の：引用者注〕世界からは締めだされてきた」（同書、二一一ページ）、と指摘しています。

日本の公衆衛生ポスターでも、この傾向は見て取れます。エイズが不治の病として一般社会の耳目を集め始めた九〇年代以降、多くの感染予防の啓発ポスターが市中に出回りました。大半のポスターは、ふんわりとうつくしい人を起用したイメージ写真や、ハートマークやレッドリボンを使ったポップなイラストをあしらっており、その傍には「あなたがいるから、生きていける。」や「Living Together」といった、一見、ドラマのタイトルのようなキャプションが添えられています。

これらの作品群が、できるだけ人びとの恐怖や不安を喚起しないように細心の注意を払ったことがわかるのは、ギルマンの分析同様、これらのポスターのどこにも「病める（醜い）身体」が出てこない、ということです。どのポスターからも病の兆しは感じられません。

先ほど述べたように、映画や文学などの芸術の世界では、エイズは「病によって損なわれるうつくしさ＝醜く変化する身体」の側面が積極的に描かれていました。しかし、なぜ公衆衛生ポスターでは、あえてそれを避けるような作品が創られるのでしょうか。ギルマンの表現を借りるなら、答えは以下のようになります。

> 死にゆくこと（dying）を他所《よそ》に、それはひたすらに健康な身体、しるし《マーク》なき身体のイメージである。西洋社会でエイズという病気をしるしづ《マークす》ける腐っていく身体の悪臭、膿《うみ》の異臭、菌だらけの痰、乾かない傷口、身体についての慢性的な不安などは、死にゆくことに公衆的《パブリック》に対処するすべをわれわれが持たないために消去するしかない。死にゆくこと（dying）は、われわれすべてを揺り動かす力を持つものだし、現に揺り

動かす。

（同書、二一一ページ）

現代の先進諸国では死ぬこと——特に病を得て死ぬことは、決してあたりまえではありません。死に至るかもしれない病はできるだけ未然に発見しますし、万が一罹患してしまってもあらゆる医学的手立てをつかって死なないように手を尽くします。一九八〇年に天然痘根絶宣言を出した頃には、人間は、特に感染症（伝染《うつ》る病気）で簡単に死ぬわけにはいかなくなったのです。それも、刻々とうつくしさを失いながら死ぬなんてとんでもないというわけです。

このような状況下で人びとに「科学的知識を身に付け、罹ったら死ぬかもしれない病への感染を避けましょう」というメッセージを届けるには、決して「身体が徐々に醜くなって死んでしまうかも」という現実を言わない／見せないような視覚イメージとセットにすることが大事になります。しかし、センス良く健康に見えるうつくしい人の写真を使うことは、リアルな病や死が直接表現されないことでもあるので、かえって「見えない死への恐怖」の念が強く伝わってしまうかもしれません。

ますます強まる「うつくしさ」と健康の結びつき

ここまで三〇〇年ほど時間を巡って、外見のうつくしさが健康と結びつく様子を見てきました。一方で、二〇世紀以降人びとの健康意識に大きな影響を及ぼすようになった公衆衛生の分野では、特に先進諸国で「醜い身体＝病に侵された身体」のイメージに居場所がなくなり、あからさまには描かれなくなったことも確認しました。

しかし、美醜のうちの一方のイメージに居場所がなくなったからといって、「うつくしい（健康）―醜い（病）」という物差しが無効になったわけではなさそうです。そういう物差しはなくなったことにする、というお作法が新たに生まれただけで、むしろ測るまなざしはより巧妙になったのかもしれません。

透明になった物差しは大声で主張こそしませんが、みなさんの手に届くところに何気なく佇《たたず》んでいます。たとえば、駅ナカの小さな本屋さんに平積みされているライフスタイル系ファッション雑誌。なかでも『anan』や『Tarzan』は、定期的にうつくしい身体の特集を組むおしゃれな雑誌の代表といえるでしょう。うつくしくて若い人がキメポーズを取っている表紙の写真がまず目を惹きますね。モデルの性別にかかわらず、迷いのない佇まいと視線は、身体作りを鼓舞するようなキャプションが添えられることと相まって、自分の身体は自分の意思によってうつくしく作ることができる――そしてそのような意思に基づいて努力することは良いことだ、と言っているようにも見えます。そのとき、描かれていないはずの「美―醜の物差し」が「わたし」の心のなかに現れるのでは、と思うのです。表紙の写真モデルを物差しの目盛りの右端、つまり「もっともうつくしい姿」のところに置き、自分自身は目盛りの左端、つまり「最高に醜い」の場所に置いてしまうような心の動き。どうやら「うつくしさと健康」のからくりは、今ではこのようなしかけになっているように思うのです。

ブックガイド

『なぜふつうに食べられないのか――拒食と過食の文化人類学』
磯野真穂　春秋社、二〇一五年

二〇世紀半ばに明らかになった、食べることに困難を抱える女性たち。この本では、人類学者の著者が、「なぜふつうに食べられなくなったのか」という根源的な問いを六人の女性たちに真摯になげかけます。長期間にわたって実施されたインタビューを基本に、その語りを従来の医療モデルに当てはめて分析する枠組みを押さえつつも、それだけではとらえきれない体験の意味を論じています。彼女たちの困惑は、私たちや私たちの属する文化と地続きなことをあらためて考えさせられる本です。

『美貌の陥穽――セクシュアリティーのエスノメソドロジー』
山崎敬一　ハーベスト社、一九九四年

「男はこう、女はこう」という話題は、古今東西、老若男女を問わず、親しい間柄での会

話で盛り上がる話題のひとつでしょう。そこで語られる一般論はときに過激です。そして、その過激な一般論は目の前にいる話し相手にも当てはまるはずですから、気まずくなることだって多いはずです。でも、いつもそうなるとは限りませんよね。そこには、「あなたは別だけど……」と一般論から話し相手を除外する、やりとりのしくみがあるのです。本書の三章と四章では、男性が「あなたはきれいな人だから違う」というかたちで、話し相手の女性を除外するやりかたと、女性がそれを肯定も否定もせずにやりとりを前に進めるやりかたが分析されています。

『生の技法——家と施設を出て暮らす障害者の社会学』（第三版）

安積純子・岡原正幸・尾中文哉・立岩真也　生活書院、二〇一二年（初版：藤原書店、一九九〇年）

街を歩くと、車椅子に乗った障害者や盲導犬と歩く視覚障害者に出会うことがあります。ただ、障害者がともに生活する地域社会は昔からあったものではありません。そこにたどり着くまでには、障害のある当事者の地道な運動と社会との「闘い」がありました。本書は、そんな「埋もれた」障害者運動の軌跡を、丁寧かつ正確に記録した名著です。障害のある女性の生活史も活き活きと記述され、全編において、激しくも、かけがえのない自らの人生を懸命に歩む障害者の姿が描かれています。

3 英文学から
——美と若さの呪縛から自由になりたい、でもなれない？

オスカー・ワイルド『ドリアン・グレイの肖像』他

渡部《わたなべ》 充《みつる》
（英国文化・文学）

今の日本ではテレビ番組欄を見ても、雑誌の目次を見ても、どうしたら美しくなれるか、どうしたら若さを保てるかといった特集や記事であふれています。動画サイトでは、あの手この手の驚きのメイク術が実際のメイク動画とともに紹介され、人気を博しています。そこでは最新の科学的知見が、あるいは最新のメイク術や商品が総動員され、わたしたちの購買意欲をかきたてます。

この社会では、「美」と「若さ」がまったく疑問の余地のない絶対的な価値だとされていることを痛感します。そこでは、うつくしさとは何か、なぜわたしたちはそこまでうつくしさにこだわるのか、といった素朴な問いは完全に封じられているようです。また、「美」と「若さ」がほぼ同義であるかのように並べられていることにも疑問を感じます。世の趨勢は、〈若さを保つ＝うつくしくあり続ける〉〈年老いる＝うつくしさを失っていく〉といった考えに同調しているようです。

こうした傾向はいつから始まったのでしょうか。昔から、うつくしい人がもてはやされていたには違いありません。しかし、特別な存在ではない多くの人びとが自分の見た目を気にかけ、うつくしくなりたいという欲望に取り憑かれるようになったのは、それほど昔のことではないでしょう。といって、ごく最近の日本にだけ見られる現象でもありません。おそらくは、近代社会の始まりとともにそうした傾向が芽生え、資本主義の発達とともに都市化が急激に進んだ一九世紀に入って、いよいよ明確な欲望として現れてきたのではないかと思います（それがなぜかは、興味深い歴史的、社会学的な問いです）。このエッセイでは、あえて人の外見のうつくしさに焦点を絞り、英国のオスカー・ワイルドが一八九一年に出版した小説『ドリアン・グレイの肖像』（福田恆存訳、新潮文庫、二〇〇四年改版。以下、引用はページのみ示します）を手始めに、「うつくしさ」について思考をめぐらせてみたいと思います。

美と若さのためなら死んでもいい!?

『ドリアン・グレイの肖像』の主人公はたぐいまれな美貌をもつ青年ドリアンです。彼は友人である画家バジルに請われて、肖像画のモデルをつとめます。そのアトリエにやってきたバジルの友人ヘンリー卿の目にドリアンは次のように映ります。

噂にたがわず、たしかにすばらしい美男子だ——見事な曲線を描く真紅《しんく》の唇《くちびる》、無邪気な碧《あお》い眼、そして、ちぢれた金髪のドリアン。その顔には、ひと眼で他人の信頼をかち得るなにものかがあった。若さからくるひたむきな純情はもちろんのこと、いかにも青年らしい恬淡《てんたん》さがそこには溢《あふ》れていた。俗世間の汚濁を一点も身に受けずにきた人間という感じだった。（三八）

完成した肖像画を見て、自分の美貌の移ろいやすさに絶望したドリアンは、永遠の美と若さを熱望します。その結果、彼の肖像画が年老いる代わりに、自身はいつまでも若くうつくしくあり続けるという不思議な物語が展開します。

その美貌と若さを利用して、社交界の寵児となったドリアンは、しかし、決して幸福な人生を歩んだわけではありません。（ネタバレですみませんが）彼は、自身の肖像画を破壊しようとし、その結果として自ら命を絶ってしまいます。この物語は一八世紀来の恐怖文学（ゴシック小説）の伝統につながり、肖像画と生身の体という二つに分かれた二重人格のテーマ、あるいは、悪魔に魂を売って永遠の命（若さ）を手に入れるという伝説の系譜に連なるものです。

オスカー・ワイルド

さて、ドリアンが永遠の若さを切望するようになったのは、ヘンリー卿に言葉巧みにそそのかされてというういきさつがあります。ドリアンの美と若さに感嘆したヘンリー卿は「あなたにはすばらしい若さがある、そして若さこそ、もつべき値打ちのあるものなのだ」（四九）とほめそやし、次のように続けます。

あなたはじつに美しい顔をしている、グレイさん。なにもそう嫌《いや》な顔をしなくてもいい、本当の話なのだから。だいたい、美というものは天才の一つの型なのだ——いや、それは説明を必要とせぬゆえに、天才よりも高次のものにちがいない。美は、陽光や春、あるいはひとが月と呼ぶあの銀色に輝く貝が、暗い水面に落す影のごとき、この世のすばらしき現実に属しているのだ。美にたいして問いを発することはできない。美には天与の主権があるのだ。そして、美を所有する人間は王者になれる。（五〇）

ヘンリー卿によれば、美は「天才の一つの型」であり、「説明を必要とせぬゆえに、天才よりも高次のもの」です。なるほど、うつくしい顔というものは、努力によって手に入れることができるものではなく、天に与えられた才能のひとつだといえるかもしれません。そして、人はうつくしいものを目にしたとき、一切の理屈抜きに、ただただ感動を覚えるものです。そうした美を有するドリアンのような人間は「王者になれる」というわけです。ヘンリー卿はさらにたたみかけます。

美は表面的なものにすぎぬというひとがある。あるいはそうかもしれない。だが、すくなくとも思想ほど表面的ではないでしょう。ぼくにとっては、美は驚異中の驚異だ。ものごとを外観によって判断できぬような人間こそ浅薄なのだ。この世の真の神秘は可視的なもののうちに存しているのだ、見えざるもののうちにあるのではない……

（五〇）

人の価値はその外見ではなく、その内面にあるのだとよくいわれます。あまり使われなくなった言い回しかもしれませんが「顔じゃないよ、心だよ」ということでしょう。一般に、「ものごとを外観によって判断」するのは見せかけにとらわれた浅薄な者のすることとされます。〈ものごとを外観によらず中身で判断〉する人こそ、すぐれた判断を下せるはずだということになります。本当にそうなのでしょうか。わたしたちは重要なものは「見えざるもののうちにある」と考え、「可視的なもののうち」にはないと考えがちですが、へンリー卿はまったく逆のことを主張しています。

肉体（外見）と精神（内面）の分裂

近代に入って、人間という存在は肉体（目に見える物理的存在）と精神（目に見えない精神的存在）に分けて考えられるようになりました。心身二元論という考え方です。そうした二元論（ものごとを二つに分ける思考）では、常に二つのうちのどちらかが優位であるという価値判断を伴います。白人と有色人種では白人が、男性と女性では男性が優位とされてきました。心身二元論において優位とされるのは、精神です。人が単なる動物ではなく人であるのは、精神を有しているからであり、肉体ならばどのような生き物にもあるものです。人の価値はその内面によって決まる。いや、決めるべきであるという考え方が、当然のこととして唱えられてきました。

ヘンリー卿は、そうした考えに異を唱えます。現実社会においても見た目がよい人はそれだけで他者から好かれ、ときには崇拝され、さまざまな場面で何かと得をします。美男なら先の引用にある「王者」に、美女ならば「女王様」になれる。見た目で人に優劣をつけるのは本当に愚かなことと断言できるのでしょうか。そもそも人を完全に分離可能な二つのもの、すなわち肉体と精神に分けて理解することが人間理解としてどれほど「正しい」のでしょうか。

小説の冒頭、画家のバジルは、ヘンリー卿に次のように嘆息します。

魂と肉体の調和――なんとそれは得がたいものだろう！　人間は狂気のあまり、このふたつを引き裂いて、俗悪な現実主義と空虚な理想とに二分してしまったのだ。（二九）

「俗悪な現実主義」とは、人をその外見だけで判断して、美男、美女をもてはやす傾向だとすれば、「空虚な理想」とは、人の外見をあたかも存在しないものであるかのように扱い、その内面だけで人を判断すべきという空論と捉えてよいと思います。ドリアンの肖像をカンヴァスの上に描こうと苦闘したバジルは、もちろんドリアンの外見だけを捉えようとしたのではなく、その精神も含めて、トータルにドリアンという人物を表現しようとしていたのでした。

そうして完成した肖像画は、美青年ドリアンの代わりに年をとり、彼が快楽を追求し悪行を重ねるたびに、醜悪な表情を浮かべるようになります。外見だけしかないはずの絵に、ドリアンの命（老いの可能性）と魂が吹き込まれたといえるでしょう。いつまでも美を保ち続ける生身のドリアン、対照的にみにくく年老いていく肖像画。秘密を知られたくないドリアンは、肖像画を屋根裏部屋に隠します。しかし、自身の堕落と老醜を見たいという欲望にかられ、時おりその肖像画と対峙するのです。

ドリアンはしばしば（中略）バジル・ホールウォードが描いた肖像画の前に、鏡を片手に立ち、画布上の次第に老いこんでゆく悪相と、磨きあげられた鏡から自分に笑い返している美青年の顔とを交互に見くらべるのだった。両者の際だった対比は、かれの快感をそそった。かれはますますおのれの美貌に惚《ほ》れこみ、同時に、ますますおのれの魂の堕落に興味を覚えるようになった。（二五二）

自身の美貌にうっとりするナルシシストのドリアン。彼は同時に、変貌していく肖像画にも惹きつけられています。ドリアンがどのような罪に染まろうとも、その容貌は肖像画を描いてもらった当時の純粋さ「俗世間の汚濁を一点も身に受けずにきた人間という感じ」をとどめます。しかし、そのことがドリアンを苦しめます。みにくく老いていく肖像画は、あたかもドリアンの良心であるかのように、その罪を彼に思い知らせ、善き人間になるよう迫ってくるのです。ドリアンはたまりかねて激白します。

ああ、おれはなんという高慢と激情の衝動に駆られて、あのとき、肖像画がおれの日々の重荷を背負ってくれて、穢れることなき輝かしい永遠の若さをおれが保ち続けるようにと願をかけてしまったのか！　おれの破滅はすべてそのためだ。（中略）おれを破滅させたのはおれの美しさだ――おれが祈り求めた美しさと若さが破滅の元なのだ。そのふたつさえなかったら、おれの生涯は穢れを受けずに済んだかもしれない。（中略）若さがおれを台なしにしたのだ。（四一三―四一五）

ドリアンの破滅は、肉体と精神に二分されたかに見えた両者、生身のドリアンとその肖像画がやはり分かちがたく結びつき、互いに影響を与え合っていたという物語として読めます。心と体を二分する心身二元論の不可能と、それでもそうした思考にとらわれる不可避を示しているように思えます。

みにくさゆえにモンスターと化した存在

ドリアンは、そのうつくしさゆえに破滅しました。では、みにくさはどうなのでしょう。姿のみにくさゆえにモンスター（怪物）と化した存在を描いた小説があります。ワイルドの作品より七〇年ほど前の小説、同じ英国のメアリー・シェリーの『フランケンシュタイン』（芹澤恵訳、新潮文庫、二〇一五年、原著初版一八一八年）です。映画化を通してその造形が有名となった怪物は、キャラクターとして人気を博しています。怪物をフランケンシュタインと記憶している人が多いと思いますが、人造人間を生みだした博士がフランケンシュタインです。小説中、人造人間に名前はなく、ただモンスターと呼ばれているにすぎません。

フランケンシュタインの怪物は、その姿のおぞましさから、生みの親であるフランケンシュタイン博士に捨てられ、たったひとり孤独に成長します。はじめは善良な存在となって人間社会に受け入れられることを切望していました。しかし、そのみにくさゆえに、恐怖と嫌悪の対象となり、出会う人ことごとくから忌み嫌われ、社会から徹底的に排除されます。怪物の言葉です。

このおれはいったいなんなんだ？　この身が誰に、どのようにして造られたのか、まるでわからない。金《かね》もなければ友もおらず、およそ財産と呼べるものは何もない。しかも、恐ろしく醜く、おぞましい姿形をしているのだ。おまけに人間とは身体《からだ》の特性もちがう。（中略）それならば、おれは怪物なのか？　この世の穢《けが》れなのか？　だから、誰もが逃げ出し、誰もがおれを見捨てるのか？　（二三八）

善良であろうと切望しながら、人から嫌悪されるがゆえに心がみにくく歪み、やがて博士をはじめとする人間に対して復讐を企てる怪物。心がうつくしくとも、外見がみにくければ、不当に扱われ、孤独を強いられ、いずれは心もみにくい怪物になる。外見のみにくさが内面をもみにくくする。やはり、心身二元論で両者をきっぱりと分けることは不可能のようです。

現代日本のモンスター、りりこ

現代日本の作品に目を転じましょう。岡崎京子の漫画『ヘルタースケルター』(祥伝社、二〇〇三年)です。主人公のスーパーモデル、りりこは、その美貌と抜群のスタイルから若い女の子たちから絶大な人気を誇り、映画やCMにひっぱりだこです。しかし、彼女は全身美容整形によって、その外見を手に入れていたのでした。現代医学の粋を駆使して作られたその体にも、やがて限界が近づきます。体がボロボロになり始めるとりりこの精神も崩壊していき、物語は壮絶なラストへ向かいます。うつくしさから遠く隔てられていたりりこは、念願のうつくしさと、さらには富と名声を手に入れたのですが、そのために破滅します。

この漫画で秀逸だと思われるのが、要所要所に挟まれる無名の女の子たちの会話です。

グッチのクルーズラインがさー
いや　やっぱ今はプラダしかないっしょ

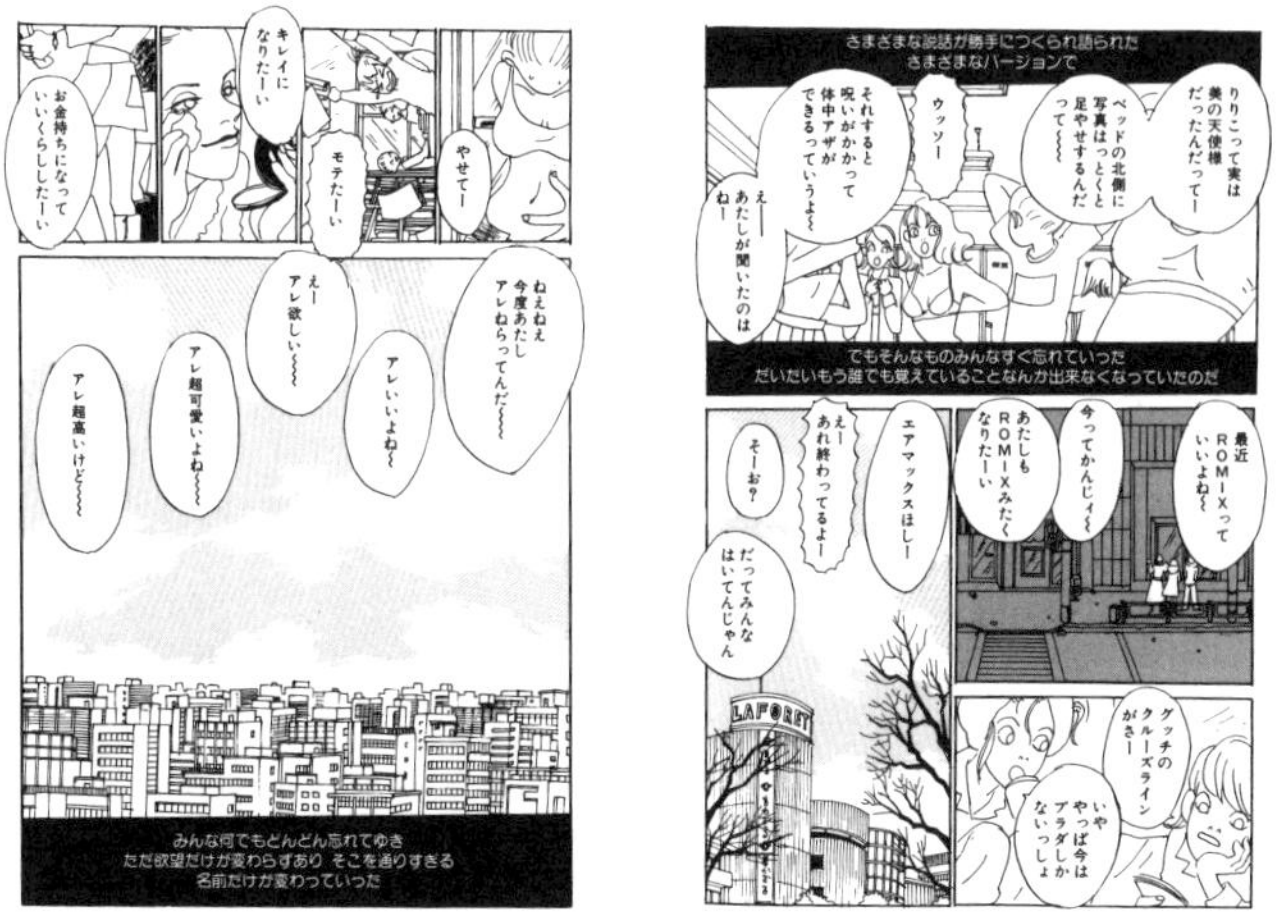

岡崎京子『ヘルタースケルター』308・309ページ

©岡崎京子／祥伝社フィールコミックス

エアマックスほしー
えー　あれ終わってるよー
そーお？
だってみんなはいてんじゃん
やせてー
モテたーい
キレイになりたーい
お金持ちになっていいくらししたーい
ねえねえ　今度あたしアレねらってんだ〜
アレいいよね〜
（三〇八・三〇九）

もちろん、作中冒頭には「りりこ　可愛

い ー♡」（一四）という必殺の言葉が出てきます。これら無名の女の子たちの会話に若さへの欲望は出てきませんが、体が崩れ始めたりりこがもっとも恐怖するのは、年老いていく自身の体です。急速に容貌が衰えていくりりこは老いを凄まじいスピードで体験しているといえます。やせたい、キレイになりたい、可愛くなりたい、いつまでも若くいたい、モテたい、アレがほしい、コレがほしい……。彼女たちの言葉は動物的単純さで現代日本の女の子たちの欲望のありようを示しています。消費資本主義があおる流行のモノへの欲望、キレイや可愛さ、やせへの願望。そうした大衆の欲望が産み落としたのが現代のモンスター、りりこです。りりこはあなたであり、わたしでもあるのです。

一九九〇年代に雑誌に連載された漫画ですから、ここにはスマートフォンやソーシャル・ネットワーキング・サーヴィスは登場しません。今なら女の子たちのやりとりはツイッターやインスタグラムなどでもっと頻繁に、もっと大量に交わされることでしょう。そうしたメディアでは何よりもヴィジュアルが大切で、言葉は添え物にすぎません。代表的なサーヴィスのひとつがフェイスブックという名称であるのも、示唆に富むようです。そこでは、人が何を考え何をいっているのかが重要なのではなく、大事なのは人がどのような「顔」をしているかなのです。

ワイルドの小説にも、生身のドリアンの容貌と肖像画に描かれたイメージとしてのドリアンの交錯、という今日的なテーマが窺えました。しかし、彼の時代には想像もつかなかった美容整形術、メイク術、写真修整術に手軽にアクセスできる今日、美貌の意味自体が変容しつつあるといえます。生身の顔はもはやなきに等しく、無数のイメージとしての「顔」が氾濫する混沌とした世界にわたしたちは生きているようです。

うつくしいはうつくしくない？

「うつくしさ」が人の外見について用いられるとき、その裏には常にある種の「みにくさ」が張り付いているように感じられます。ドリアンをもてはやす社交界の俗悪さ、フランケンシュタインの人造人間を怪物にしてしまった群衆の残酷さ、りりこをスターとして崇拝し、またたく間に消費していく大衆の空虚さなどです。

わたしたちは、「美」と「若さ」へのとらわれから、なかなか自由になれそうもありません。社会的に定められた基準に執着するのではなく、内面はもちろん重要だが、外見も大切、というほどほどのところで、適当につきあっておくくらいのスタンスがいいのだと思います。

最後に、観点を変えて考えてみたいと思います。「うつくしさ」といえばそれは概念、理念です。そんなものがあるのかと問われたら、イデア（プラトンの哲学によれば理性によってのみ認識可能な真実在）の世界にならあるだろうくらいの返事しかできません。「うつくしい」といえばモノにくっつく属性です。「うつくしい人」や「うつくしい花」は、なるほど存在しているように思えます。わたしたちがとらわれているのはそうした理念としての「うつくしさ」や属性としての「うつくしい」ではないでしょうか。

いっぽう、「うつくしく」という表現もあります。「うつくしく歩く」「うつくしく話す」などです。「うつくしい体」といえば、モノとしての体に属性としての「うつくしい」がくっついているだけです。しかし、「うつくしく歩く」となると単なる物体としての体の動きに、属性として「うつくしく」が付加されているのではありません。ここでは「うつくしく」と「歩く」を分けることが困難です。そうした動きの中で生まれる「うつくしく」を意識してみると、「美」や「若さ」へのとらわれから少しは自由になれるのではないでしょうか。体というモノにくっつく属性としての「美」や「若さ」をどうしても獲得したい、保ち続けたいと願う前に、「うつくしく歩く」ことを実践してみればよいのです。

ブックガイド

『「かわいい」論』
四方田犬彦 ちくま新書、二〇〇六年

「うつくしい」に類しているけれども、対立的な概念に「かわいい」があります（「キレイ系」と「かわいい系」など）。本書は「かわいい」の語源の説明に始まり、文学やアニメイションなど、さまざまな分野における「かわいい」を縦横無尽に語っています。美と醜が裏腹であるように、「かわいい」には常に一種のグロテスクさが張り付いているようです。今なお、多様に変貌しつつある「かわいい」について、本書を手掛かりに考えてみましょう。

『美術の物語』
エルンスト・H・ゴンブリッチ 河出書房新社、二〇一九年

「うつくしさ」を体現するもののひとつに、美術があります。しかし美術の在り方は一定

ではなく、時代や地域によって大きな違いがありました。それぞれの時代・地域に、芸術家はどのような作品を作り出してきたのでしょうか。そのような美術の歴史に分け入るために、本書は格好の道案内となります。原著は一九五〇年に出版されたあと、一九九五年まで改訂が続けられました。その翻訳となる本書は七〇〇ページ近い大部の著作ですが、美術についてほとんど前提知識のない読者にもわかりやすい言葉を用いて記述されています。

『さかしま』

ユイスマンス（澁澤龍彦訳） 河出文庫、二〇〇二年

貴族の末裔である青年デ・ゼッサントはパリの郊外に隠遁し、贅を尽くして己の趣味趣向を凝らした住居を作り上げます。孤独な彼の想念は、理想とする美を追求し、文学、宗教、室内装飾、絵画、植物、香料、音楽へと経巡り続け……。洗練《エレガンス》の極致のようでいて、どこか毒々しく退廃的なデ・ゼッサントの美学。あらゆる感覚が驚くほど多彩に言語化され、花のように咲き乱れては朽ちていきます。腐臭の入り混じった芳香を放つ妖しい世界に、どっぷり浸ってみませんか。

4 宗教学から
――他者とともに生きる世界を目指して

知里幸恵編訳『アイヌ神謡集』

大澤《おおざわ》 香《かおり》
（キリスト教学）

はじめて文字で記されたアイヌ文学

『旧約聖書』の申命記二六章五節には、「わたしの先祖は、滅びゆく一アラム人」（新共同訳）と、古代イスラエル人が自らのアイデンティティを表明した言葉が記されています。本章でご紹介する『アイヌ神謡集』（知《ち》里《り》幸《ゆき》恵《え》編訳、岩波文庫、一九七八年）は、『聖書』とは背景とする文化圏が大いに異なりますが、その序文には、「おお亡びゆくもの……それは今の私たちの名、なんという悲しい名前を私たちは持っているのでしょう」と記されています。

『アイヌ神謡集』を記した知里幸恵はキ

19歳の知里幸恵

リスト教徒でしたが、彼女が記した神謡は、幸恵の先祖・同胞であるアイヌ民族が伝承してきた口承文芸です。もともとは文字をもたなかったアイヌ民族の口承文芸を、はじめて文字で書き記したのが『アイヌ神謡集』でした。それをなしとげたのが、一九歳のアイヌの少女、知里幸恵でした。

アイヌ民族は日本の先住民族です（二〇一九年に成立したアイヌ新法では、アイヌ民族が「先住民族」と明記されました）。北海道に旅行に行き、アイヌ民族ゆかりの地を訪れ、ムックリという楽器の演奏を聴き、アイヌ料理を味わうという機会もあるかと思います。二〇一四年に『週刊ヤングジャンプ』（集英社）で連載が始まった野田サトル氏の漫画『ゴールデンカムイ』（マンガ大賞二〇一六大賞、第二二回手塚治虫文化賞マンガ大賞受賞）が大変人気ですので、この漫画を読んだ人も多いことでしょう。また、教科書の教材（藤本英夫「銀のしずく降る降る」『中学国語1』教育出版、一九八一－一九九二年度、一九九七－二〇〇一年度、二〇一二－二〇二一年度現在）としても採用されています。

私が子どものころにアイヌ民族について知ったのは、歴史の教科書を通してのみで、自覚的にアイヌの文化に触れたのは、大学生のときに履修したアイヌ語の授業が最初でした。でも、子どものころに読んだコロポックルの物語や、「ラッコ」「アシカ」「オットセイ」「トナカイ」「シシャモ」といったアイヌ語起源といわれる単語など、知らなかっただけで、アイヌ民族の文化は身近なところにじつはたくさんあったのです。

『アイヌ神謡集』を開くと、左側のページにはアイヌ語の神謡がローマ字で記され、右側のページにはその和訳が記されています。『アイヌ神謡集』を知るじつに多くの人が、知里幸恵のこの和訳を「うつくしい」と表現します。齋藤孝『声に出して読みたい日本語』（草思社、二〇〇一年、一八九―一九一ページ）でも紹介されています。私も、その和訳を読んで浮かぶのはやはり「うつくしい」という言葉です。この「うつくしさ」は、どこから来ていて、このような言葉を記した知里幸恵という人は、どのような人だったのでしょうか。

アイヌ神謡の世界

まずは、『アイヌ神謡集』の世界をのぞいてみましょう。

「神謡」のことは、アイヌ語でカムイユカㇻといいます。「神」に「カムイ」が、「謡」に「ユカㇻ」が対応していますが、「神」といっても「カムイ」はキリスト教の神概念とは異なる体系に属する概念です。また「アイヌ」は「人間」を指す言葉です。

「カムイ」と「アイヌ」、この二者が、アイヌ民族の世界観を理解するための最も基本的な概念といっても過言ではないでしょう。アイヌ民族にとって、動物や植物、火・水・雷などの自然現象、家や舟や臼や杵、鍋、小刀など人間の役に立つ人工物すべてが「カムイ」です。先に触れた漫画『ゴールデンカムイ』のアイヌ語監修者でもある中川裕は、カムイに最も近い概念は日本語の「神」ではなく「環境」であると指摘しています。アイヌとカムイ、すなわち人間と環境がよい関係を結ぶことで、お互いに幸福な生活が保たれるということが、アイヌの伝統的な考え方の根幹にある世界観です（中川裕『アイヌ文化で読み解く「ゴールデンカムイ」』集英社新書、二〇一九年、一八ページ）。

「神謡（カムイユカㇻ）」は、カムイの視点から見た世界を、カムイが語る、という形式で謡われます。『アイヌ神謡集』には一三編の神謡が収められていますが、「梟の神の自ら歌った謡」「狐が自ら歌った謡」「兎が自ら歌った謡」というように、それぞれの神謡がどのカムイの視点で語られているのかが、表題にも記されています。このようにカムイの視点から見た世界を語る「神謡」に幼いころから親しんできたアイヌの人びとには、この世界を人間中心・自己中心的に見るのではなく、自らを含めた人間社会を客観的・批判的に見る視点が養われていただろうと思うのです。

アイヌの少女、知里幸恵

知里幸恵は一九〇三（明治三六）年、北海道幌別《ほろべつ》郡（現・登別市）で、父・高吉と母・ナミの間に誕生しました。幸恵の母ナミ（アイヌ語名・ノカアンテ）とその姉のマツ（アイヌ語名・イメカヌ）は、函館で英国人宣教師ジョン・バチェラーがつくった愛隣学校で学んだキリスト教徒でした。幸恵は六歳のときに、幌別から、旭川近文（チカプニ）の伯母マツのもとに預けられます。マツは近文でキリスト教の伝道所を開いていました。幸恵はその伝道所でオルガンを弾き、足が不自由であったマツを助けながら、母方の祖母モナシノウクを加えて三人でともに暮らすことになります。祖母モナシノウクは、優れたユカㇻ(アイヌの叙事詩)の伝承者・謡い手でした。

幸恵は常に成績優秀で、旭川区立女子職業学校に上位で合格し入学します。そして幸恵が一五歳のとき、後の『アイヌ神謡集』の誕生に決定的な影響を与える出会いが訪れます。宣教師バチェラーの紹介を受けて、モナシノウクとマツを訪ねてきた言語学者・金田一京助との出会いでした。一九一八(大正七)年の八月のことでした。

ここで、この時代の日本におけるアイヌ民族の状況に触れておきたいと思います。明治政府が行ってきた北海道開拓政策によって、本州から多数の開拓者が移民しました。また、それは、アイヌ民族に対して、それまで生業であった狩猟や漁撈《ぎょろう》を規制し、言語や風俗習慣の面で和人への同化を強要するものでした。一八七五(明治八)年にロシアとの間に「樺太・千島交換条約」が結ばれて以降、多くの樺太アイヌと千島アイヌが移住を強いられました。明治政府によるこれらの政策は、アイヌ民族のそれまでの生活基盤を破壊し、彼らを差別と偏見と貧困のなかに追いやるものでした。

そして一八九九(明治三二)年には、アイヌ民族の「同化」と「保護」を目的として

「北海道旧土人保護法」が制定されます。この法律は、アイヌ民族を農耕民として自立させるというものでしたが、実際にアイヌ民族の生活が向上した地域はわずかであったといわれます。また、農業に従事する北海道のアイヌに一戸につき一万五千坪の土地を与えると定めていましたが、そこにはさまざまな制限がありました。与えられた土地も開墾地ではなく、原始林などの農耕には向かない土地で、農業経験のないアイヌにとって非常に過酷な条件でした。さらに、この法律に伴って設立された学校（当時は土人学校と呼ばれました）によって、アイヌの子どもたちに対する和人への同化政策が進められていきました。同じ日本の国民を「旧土人」と呼ぶこの法律は、驚くべきことに一九九七年まで存続していました。

一九一〇（明治四三）年四月に旭川の上川第三尋常小学校に入学した知里幸恵でしたが、この年の九月には上川第五尋常小学校が開校し、アイヌの子どもたちはそちらに通うようになります。幸恵もアイヌの少女として、多くの差別を経験したことは、後に彼女が記した日記の言葉からもうかがえます。一九二二（大正一一）年、幸恵が上京して金田一京助宅に滞在しながら『アイヌ神謡集』の出版に向けた準備をしていた時期に書かれた六月二六日の日記です。当時九歳の金田一家の坊ちゃん（後に国語学者となる金田一春彦）が幸恵に話しかけた際、大人同士の会話に気を取られていて、坊ちゃんが機嫌を損ねてしまったことに、幸恵は大変心を痛めてこのように記しています。

小さい美しい子供心にちっとも同鳴せずに、大人である自分の事ばかりに気をとられた。何といふ私は利己主義な人間であらうか。（中略）私自身、一ばん人よりもさういふ事には一人で心をいためる。自分の言ふ事を知らぬ顔されるほど気持の悪い事は無い――さうした経験をあまるほど持ちながら――私は何といふひどい罪の人であらう。御免あそばせ、坊っちゃま。

（『銀のしずく　知里幸恵遺稿』草風館、二〇〇七年二刷より。以下同様）

この文章には、幸恵が差別の経験を「あまるほど持」っていたことがにじみ出ています。しかしここで幸恵が心を痛めているのは、無意識とはいえ小さな子どもの声に耳を傾けることができなかった自分自身に対してです。無視される辛さを知っているからこそ、ほかの人の辛さにも人一倍気がつくことができるはずだというのです。なんと細やかな感性でしょうか。また、六月三日の日記にはこのようにあります。

お湯にゆく。自分の醜さを人に見られることを死ぬほどはづかしがる私は、何といふ虚栄者なんだらう。（中略）私はあたへられた私のものを、何のはづる事があらう。神様の目からは、さういふ美醜などは何の差別もなく、みな一つのものではないか。（中略）美しくてもみにくゝてもいゝではないか。みんな人間だ、みんなおなじに神の子ではないか。親の愛は美しい子にばかり偏るであらうか。否。肉体の美醜は親の愛をちっとも変らせる事はない筈だ。私はたゞ感謝する。感謝する。

幸恵の信仰がよく表された文章ですが、これらの言葉を幸恵は「自分の肉体は醜い」という前提のもとに語っています。しかし私たちが写真で見る幸恵の姿は、とても愛らしい姿です。幸恵の価値観は、当時のアイヌ民族に対する日本の政策の結果として生まれたものであるでしょう。

さて、金田一京助との出会いの場面に戻りましょう。このようなアイヌ民族への差別と同化政策のために、この時代、子どもにアイヌ語を教えないアイヌ民族の家庭が増えていました。けれども幸恵の場合は、子ども時代にアイヌ語しか話さない祖母とともに暮らし、学校に通うようになってからも、家では優れた謡い手によるユカㇻを聴き、アイヌ語で話

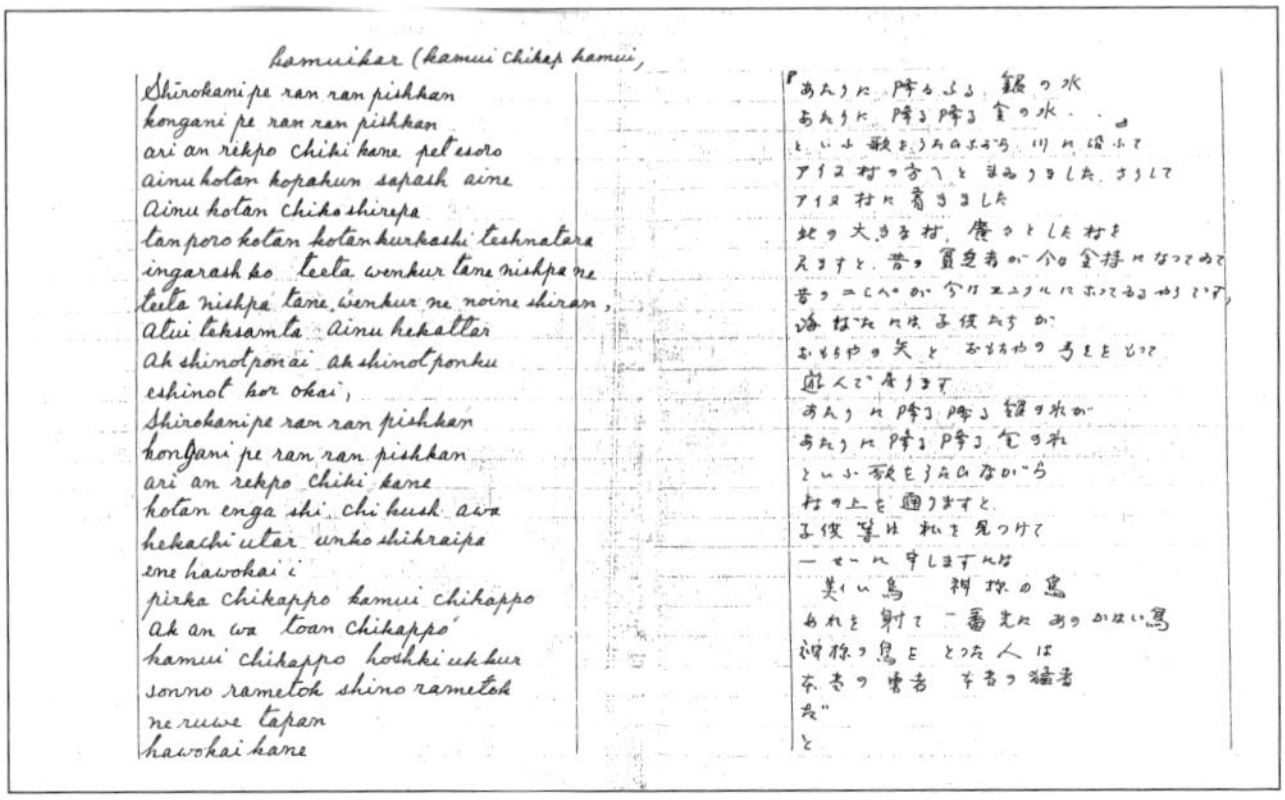
kamuikar (kamui chikap kamui,
Shirokanipe ran ran pishkan
konganipe ran ran pishkan
ari an rekpo chiki kane pet esoro
ainu kotan kopakun sapash aine
Ainu kotan chikoshirepa
tan poro kotan kotan kurkashi teshnatara
ingarash ko teeta wenkur tane nishpa ne
teeta nishpa tane wenkur ne noine shiran,
atui teksamta Ainu hekattar
ak shinotponai ak shinotponku
eshinot kor okai,
Shirokanipe ran ran pishkan
konganipe ran ran pishkan
ari an rekpo chiki kane
kotan enga shi chi kush awa
hekachi utar unko shikraipa
ene hawokai i
pirka chikappo kamui chikappo
ak an wa toan chikappo
kamui chikappo hoshki ukkur
sonno rametok shino rametok
ne ruwe tapan
hawokai kane

復刻版『知里幸恵ノート』（知里森舎，2002 年）
知里幸恵 銀のしずく記念館

していました。また幸恵は、金田一を驚かすほどの文才の持ち主でした。アイヌの神謡・詞曲が貴重な文学であると語る金田一の話を聞いて、幸恵は、自分の生涯をその伝承と研究にささげることを誓ったといいます（金田一京助「近文の一夜」『金田一京助全集 第一四巻 文芸二』三省堂、一九九三年、五四―五九ページ）。

女子職業学校を卒業した幸恵は、金田一から上京をすすめられつつ、ユカラ筆記のためにローマ字の練習を始め、一九二二年、一九歳の年に、家族の反対を押し切って上京します。しかし八月はじめに心臓病を発病してしまいます。幸恵には北海道に結婚を約束した人がいたのですが、九月には医師から「結婚不可」の診断を受け、そして、九月一八日の夜八時三〇分、

『アイヌ神謡集』の原稿の校正を終えた後に容体が急変し、心臓麻痺で亡くなります。
幸恵が記した『アイヌ神謡集』は、幸恵の死後、一九二三（大正一二）年に、郷土研究社から「炉辺《ろへん》叢書」の一冊として出版され、その三年後には再版が刊行されました（一九七〇年には補訂版が弘南堂書店から刊行され、一九七八年には岩波文庫に赤帯版として収録されました）。『アイヌ神謡集』の巻末には「大正十二年七月十四日」付で、金田一京助による以下の言葉が記されています。

種族内のその人の手に成るアイヌ語の唯一のこの記録はどんな意味からも、とこしえの宝玉である。唯この宝玉をば神様が惜んでたった一粒しか我々に恵まれなかった。

「銀の滴《しずく》降る降るまわりに」

では、『アイヌ神謡集』を開いて、そのはじめに置かれている「序」の言葉を読んでみましょう。

その昔この広い北海道は、私たちの先祖の自由の天地でありました。天真爛漫な稚児の様に、美しい大自然に抱擁されてのんびりと楽しく生活していた彼等は、真に自然の寵児、なんという幸福な人たちであったでしょう。（中略）愛する私たちの先祖が起伏す日頃互いに意を通ずる為に用いた多くの言語、言い古し、残し伝えた多くの美しい言葉、それらのものもみんな果敢なく、亡びゆく弱きものと共に消失せてしまうのでしょうか。おおそれはあまりにいたましい名残惜しい事で御座います。（後略）

「序」に続いて、一三編の神謡が記されていきます。その冒頭に置かれているのが「梟の神の自ら歌った謡「銀の滴《しずく》降る降るまわりに」」です。「シロカニペ　ランラン　ピシカン、コンカニペ／ランラン　ピシカン（銀の滴降る降るまわりに、金の滴／降る降るまわりに）」（カタカナ部分については、原文はローマ字表記。以下、引用中のスラッシュ（／）は、改行を示す）というとても印象的なフレーズで始まるこの神謡は、おそらく『アイヌ神謡集』に収録されている神謡のなかで、最も知られている神謡でしょう。そのストーリーを簡単にご紹介したいと思います。

この神謡の語り手であるシマフクロウはアイヌ語で「コタン　コロ　カムイ（村を持つ

神）」とも呼ばれる、村の守護神のような重要なカムイです。このカムイが「銀の滴降るまわりに、金の滴／降る降るまわりに」と歌いながら、ある人間の村の上空に来て下を眺めると、「昔の貧乏人が今お金持になっていて、昔のお金持が／今の貧乏人になっている」様子が見えました。このカムイに気づいた子どもたちが、「美しい鳥！　神様の鳥！／さあ、矢を射てあの鳥／神様の鳥を射当てたものは、一ばんさきに取った者は／ほんとうの勇者、ほんとうの強者だぞ」といって、「昔貧乏人で今お金持になってる者の／子供等」は、「金の小弓」に「金の小矢」を番《つが》えて矢を射ますが、梟のカムイはその矢を「下を通したり上を通したりしました」（つまり、矢が命中しなかったということです）。

その子どもたちのなかに「ただの（木製の）小弓にただの小矢」をもった子がいます。着物などから「貧乏人の子」であることがわかります。しかしその子の眼を見ると、「えらい人の子孫」であることが、カムイにはわかります。その子が「ただの小弓に／ただの小矢」を番えると、周りの子どもたちは馬鹿にして、「あらおかしや貧乏の子／あの鳥、神様の鳥は私たちの／金の小矢でもお取りにならないものを、お前の様な／貧乏な子のただの矢腐れ木の矢を／あの鳥、神様の鳥がよくよく／取るだろうよ」と言い、貧しい子を足蹴にしたり叩いたりします。その様子を見たカムイは、「大層不憫に思い」、貧乏な子が放った小さな矢を、「手を／差しのべて」取ります（つまり、矢が、梟のカムイに命中したということです）。

この後この貧乏な子は、地に落ちた梟のカムイを家に連れて帰り、子どもの両親は、手厚く梟のカムイを家に迎え入れます。その夜、梟のカムイ（の魂）が、「銀の滴降る降るまわりに、／金の滴降る降るまわりに」という歌を静かに歌いながら家のなかを飛ぶと、その家は宝物でいっぱいになります。夜が明け、家のなかを見て、家の人びとは泣きながら感謝します。

この後この家の人たちは、立派になった家に村の人びとを招待し、今までは貧しくて皆様と往き来することもできませんでしたが、これからは仲よくしていきましょうと語り、これまで貧乏な家を馬鹿にしていた村人たちも謝罪して、お互いに仲よく暮らすようになりました。

これがこの神謡のストーリーです。

うつくしき共生への祈り

今見た「梟の神の自ら歌った謡」は、『アイヌ神謡集』の一番はじめに置かれ、ほかの神謡に比べて大変長い物語となっています。そこには知里幸恵の特別の思いが込められていると考えられます。

じつはこの神謡について、専門家からはいくつかの「謎」が指摘されています。たとえば、昔裕福であった人が零落した原因が通常は説明されるのに、ここではただ「運が悪」かったとしかいわれない点、アイヌ文学では「因果応報」が基調であるのに、村人たちと和解する「普通ではない」結末が語られる点などです。そしてそこには、キリスト教徒であった知里幸恵や伯母マツの思想の影響が指摘されています。「知里幸恵はアイヌの伝統的な世界観とともに、自分自身の思想を神謡という形を借りて表現しようとしたのかもしれない」と（中川裕「アイヌ神謡集の謎」『別冊太陽　先住民　アイヌ民族』平凡社、二〇〇四年、一三八―一三九ページ）。

意地悪をした村人が最後に懲らしめられるという結末でなく、お互いに和解するという

2020年7月12日に開業した「ウポポイ（民族共生象徴空間）」（イメージ図）。施設内の国立アイヌ民族博物館の展示のアイヌ語解説文は，アイヌ語を受け継ぐ現在のアイヌの人びとによるもの
提供：公益財団法人 アイヌ民族文化財団

ハッピーエンドが、キリスト教徒としての幸恵による創作であったならば、そこに込められている幸恵の思いを、もう少し深く考えてみたいと思うのです。アイヌ民族の人びとが、昔から、和人、すなわち日本人の大多数を構成する「大和民族」のことを指して呼んだ言葉は、「シサㇺ」でした。アイヌ語で「シサㇺ」は「隣人」という意味の言葉です。運悪く貧しくなっていた人びとが再び誇りを取り戻し、村人たちと和解して暮らすストーリーを語るこの「梟の神の自ら歌った謡」には、アイヌの人びととその隣人である和人が、平和に、ともに生きる世界への、幸恵の祈りが込められているのではないかと、思うのです。

もしそれが通常のアイヌ文学とは異なるキ

リスト教的な「創作」であったとしても、他者とともに生きる世界を目指すその視点は、人間（アイヌ）が他者（カムイ）とよい関係を結び、互いに平和にゆたかに暮らすという、伝統的なアイヌ民族の世界観と、深いところで共鳴する視点といえるのではないでしょうか。

異なる命がともに生きる世界の背後に、神の公平な愛を見るアイヌの少女知里幸恵の眼差しに、私たちはそのうつくしい共鳴を見ることができるように思うのです。一九二二年六月七日付の日記に、幸恵はこう記しています。

　神様は絶対公平の愛なのだ。私は広大無辺の宇宙を思ふ時にさう思ふ。そして、また最も小さい小さい虫を見ても草花を見てもさう思ふ。

ブックガイド

『新装版 ギルガメシュ王の物語』

司修画・月本昭男訳　ぷねうま舎、二〇一九年

「深淵を覗き見た」ウルクの王ギルガメシュ。怪物フンババを倒すために「香柏《こうはく》の森」へ遠征し、さらには「不死の生命」を探求する旅に出るギルガメシュの姿は、困難を前にしても諦めないこと、そのことも人間が示すことのできる「うつくしさ」であることを、私たちに教えてくれます。ギルガメシュをそのような旅へと促したのは、友エンキドゥとの出会いと別れでした。古代世界で一五〇〇年間、読み継がれ、書き継がれた古代のベストセラーは、今なお現代の読者の心に響く物語であり続けています。朗読CD（「朗読　ギルガメシュ叙事詩――深淵を覗き見たひと」関智一朗読、古代オリエント博物館監修、株式会社MEBUKU、二〇一九年）とともに、叙事詩の世界を味わってみてはいかがでしょうか。

『金閣寺』

三島由紀夫　新潮文庫、一九六〇年

小説の主人公溝口は、なぜ「金閣を焼かなければならぬ」という想念に突き動かされたのでしょうか。実際の金閣放火事件に材を取るこの小説で、三島は、「この世でもっとも美しい」金閣に魂を奪われた溝口が、その美のゆえに、醜悪で邪悪な現実の生へ埋没し、滅びへと突き進む姿を描いています。「美ということだけを思いつめると、人間はこの世で最も暗黒な思想にしらずしらずぶつかるのである」。美によって「暗黒」へと堕した溝口は、しかし、金閣の美を焼き尽くすことで、穢れた生を引き受けて生きることを決意します。

『美しい人に　愛はほほえみから』（新装版）

渡辺和子　ＰＨＰ研究所、二〇〇八年（初版一九七三年）

カトリックの修道女・教育者であった著者が「美しい人」について語ります。たとえば、顔のうつくしさは「その人の心の生き方のあらわれ」であると説いています。他者と比較せず自分の存在を肯定する勇気や、心のゆとりもうつくしさの条件となります。「自分の使った椅子を元に戻して席を立つ」といったほんの一寸の想像力、他を推しはかるゆとりです。「人間はみんな自分の力で美しい人になることもできます」という言葉には、価値観が強く揺さぶられることでしょう。

執筆者紹介

奥野佐矢子（おくの　さやこ）
奥付の編者紹介を参照

孟真理（もう　まり）
神戸女学院大学文学部総合文化学科教授
専門はドイツ文化・ドイツ文学
うつくしさを感じる風景は，冬の日，凍てつく裸木立にさすやわらかな陽光

栗山圭子（くりやま　けいこ）
神戸女学院大学文学部総合文化学科准教授
専門は日本古代中世史
うつくしさを感じる風景は，新緑のもみじの下から見上げた青空

横田恵子（よこた　けいこ）
神戸女学院大学文学部総合文化学科教授
専門は臨床社会学
うつくしさを感じる風景は，湖面にさざめく陽の光

渡部充（わたなべ　みつる）
神戸女学院大学文学部総合文化学科准教授
専門は英国文化・文学
うつくしさを感じる風景は，竹富島のコンドイ浜から見る夕景

大澤香（おおざわ　かおり）
神戸女学院大学文学部総合文化学科准教授
専門はキリスト教学
うつくしさを感じる風景は，瀬戸内海の夕日

ブックガイド：桐生裕子（西洋史）／河島真（日本近現代史）／戸江哲理（社会学）／與那嶺司（社会福祉学）／伊藤拓真（美術史学）／塚島真実（フランス文学）／川瀬雅也（哲学・倫理学）／中野敬一（キリスト教学）

編者紹介

奥野佐矢子（おくの　さやこ）
広島大学大学院教育学研究科博士課程後期単位取得退学
神戸女学院大学文学部総合文化学科教授
専門は教育哲学
うつくしさを感じる風景は，春の朝，霞立つ山辺に咲く桜
主な著作に『ダイバーシティ時代の教育の原理――多様性と新たなるつながりの地平へ』（共著，学文社，2018 年），『教育的関係の解釈学』（共著，東信堂，2019 年）

〈神戸女学院大学総文教育叢書〉
日常を拓く知 古典を読む 5
うつくしさ

2021 年 8 月 20 日　第 1 刷発行　　定価はカバーに表示しています

監　修　神戸女学院大学文学部総合文化学科
編　者　奥野佐矢子
発行者　上原寿明

世界思想社
京都市左京区岩倉南桑原町 56　〒 606-0031
電話 075(721)6500
振替 01000-6-2908
http://sekaishisosha.jp/

© 2021 Kobe College　Printed in Japan
（印刷・製本 太洋社）

落丁・乱丁本はお取替えいたします。

JCOPY ＜（社）出版者著作権管理機構 委託出版物＞
本書の無断複写は著作権法上での例外を除き禁じられています。複写される場合は，そのつど事前に，（社）出版者著作権管理機構（電話 03-5244-5088，FAX 03-5244-5089，e-mail: info@jcopy.or.jp）の許諾を得てください。

ISBN978-4-7907-1757-7

日常を拓く知

古典を読む

神戸女学院大学文学部総合文化学科 監修

時間や場所を超えて多くの人びとの心をとらえてきた古典を手がかりに，現代の「常識」を問いなおす。学問を日常の現場に連れ戻し，よりよい生き方を提唱するシリーズ第2弾刊行！

全5巻　四六判　並製

1 やさしさ……………… 景山佳代子　編

2 つ よ さ……………… 北川将之　編

3 さびしさ……………… 笹尾佳代　編

4 ゆたかさ……………… 栗山圭子　編

5 うつくしさ……………… 奥野佐矢子　編

神戸女学院大学総文教育叢書

世界思想社